UNE ÉQUIPE DU TONNERRE

Les Éditions Transcontinental
1100, boul. René-Lévesque Ouest
24e étage
Montréal (Québec) H3B 4X9
Tél. : (514) 392-9000
(800) 361-5479

www.livres.transcontinental.ca

Les Éditions de la Fondation de l'entrepreneurship
160, 76e Rue Est
Bureau 250
Charlesbourg (Québec) G1H 7H6
Tél. : (418) 646-1994
(800) 661-2160

www.entrepreneurship.qc.ca

La collection *Entreprendre* est une initiative conjointe de la Fondation de l'entrepreneurship et des Éditions Transcontinental afin de répondre aux besoins des futurs et des nouveaux entrepreneurs.

Distribution au Canada
Québec-Livres, 2185, Autoroute des Laurentides, Laval (Québec) H7S 1Z6
Tél : (450) 687-1210 ou, sans frais, 1 800 251-1210

Distribution en France
Géodif Groupement Eyrolles – Organisation de diffusion
61, boul. Saint-Germain 75005 Paris FRANCE – Tél. : (01) 44.41.41.81

Distribution en Suisse
Servidis S. A. – Diffusion et distribution
Chemin des Chalets CH 1279 Chavannes de Bogis SUISSE – Tél. : (41) 22.960.95.10
www.servidis.ch

Données de catalogage avant publication (Canada)
Labelle, Ghislaine
Une équipe du tonnerre
Comprend des références biblogr.
Collection *Entreprendre*
Publié en collaboration avec la Fondation de l'entrepreneurship
ISBN 2-89472-159-5 (Les Éditions)
ISBN 2-89521-027-6 (La Fondation)

1. Équipes de travail. 2. Mentorat dans les affaires. 3. Groupes, Dynamique des. 4. Efficacité organisationnelle. 5. Fondation de l'entrepreneurship. I. Titre. II. Collection : Entreprendre (Montréal, Québec).

HD66.L32 2001 658.4'02 C2001-941075-1

Révision et correction :
Donald Veilleux, Jacinthe Lesage

Mise en pages et conception graphique de la couverture :
Studio Andrée Robillard

Imprimé au Canada

Dépôt légal — 4e trimestre 2001
Bibliothèque nationale du Québec
Bibliothèque nationale du Canada
ISBN 2-89472-159-5 (Les Éditions)
ISBN 2-89521-027-6 (La Fondation)

La forme masculine non marquée désigne les femmes et les hommes.

Nous reconnaissons, pour nos activités d'édition, l'aide financière du gouvernement du Canada, par l'entremise du Programme d'aide au développement de l'industrie de l'édition (PADIÉ), ainsi que celle du gouvernement du Québec (SODEC), par l'entremise du Programme d'aide aux entreprises du livre et de l'édition spécialisée.

GHISLAINE LABELLE

UNE ÉQUIPE DU TONNERRE

Découvrez le processus de consolidation d'équipes de travail

La Fondation de l'entrepreneurship œuvre au développement économique et social en préconisant la multiplication d'entreprises capables de créer de l'emploi et de favoriser la richesse collective.

Elle cherche à dépister les personnes douées pour entreprendre et encourage les entrepreneurs à progresser en facilitant leur formation par la production d'ouvrages, la tenue de colloques ou de concours.

Son action s'étend à toutes les sphères de la société de façon à promouvoir un environnement favorable à la création et à l'expansion des entreprises.

La Fondation peut s'acquitter de sa mission grâce à l'expertise et au soutien financier de plusieurs organismes. Elle rend un hommage particulier à ses **partenaires** :

CDP
Caisse de dépôt et placement du Québec

ses **associés gouvernementaux** :

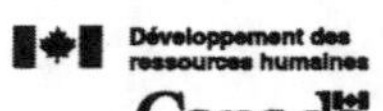

Human Resources Development
Canada

Canada Economic Development
Canada

et remercie ses **gouverneurs** :

praxcim

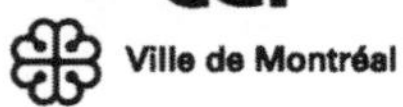

Raymond Chabot Grant Thornton

Avant-propos

Une entreprise, peu importe son secteur d'activité, est formée d'individus différents ayant des besoins particuliers et des objectifs communs. Ces individus subissent souvent des perturbations dont l'intensité varie d'une saison à une autre. Pour tout gestionnaire, cette réalité est quotidienne, réelle, toujours en mutation et peut causer de l'anxiété.

À titre de gestionnaire, j'ai expérimenté et exploré différents outils et méthodes pendant ces dernières années. De plus, j'ai vécu ma première expérience de consolidation d'équipe avec Ghislaine Labelle au cours de la dernière année. Durant deux jours, les membres de l'équipe en question ont repris plaisir à travailler ensemble pour finalement redéfinir leurs objectifs. Deux jours où les besoins des individus ont été cernés, abordés et discutés.

Aussi, cette coopération a permis à l'équipe de reconnaître les mécanismes qui alimentent les tempêtes et leur intensité. Ces deux jours, Ghislaine les a orchestrés avec rigueur, justesse et raffinement.

Un processus simple, évolutif et très bien adapté à la réalité des équipes.

Depuis, nous avons répété cette expérience avec succès, et je constate que cette approche nous permet d'inscrire dans le journal des résultats : *Plaisir au travail et atteinte de nos résultats dans la synergie d'équipe.*

En toute sincérité, j'espère que la lecture de ce livre motivera vos interventions futures.

Daniel Gagnon
Directeur de la formation

TABLE DES MATIÈRES

CHAPITRE 2

CHAPITRE 3

INTRODUCTION

Depuis maintenant 11 ans, j'offre mes services aux entreprises à titre de consultante en développement organisationnel et en coaching de gestionnaires et de leurs équipes de travail. Pour répondre à la demande d'un client, j'ai eu l'idée d'écrire un livre afin de partager mon expertise avec les professionnels en ressources humaines et les gestionnaires.

J'avais effectué avec succès trois ateliers de consolidation d'équipe avec les gestionnaires d'une même organisation lorsque le professionnel en ressources humaines est venu me demander de lui donner les outils qui permettraient de conduire à l'interne des séances de consolidation d'équipe.

J'avoue sincèrement que ma première réaction a été celle-ci : « Il veut s'approprier mon expertise pour ensuite se débarrasser de moi ! » Toutefois, j'ai compris que toutes les succursales de cette entreprise profiteraient de l'assistance offerte par les ressources internes. De toute évidence, l'organisation s'en porterait mieux.

Ma participation à un tel projet est étroitement liée à mes valeurs et à ma mission d'entreprise : soutenir les gestionnaires pour qu'ils réussissent à atteindre leurs objectifs, tant sur le plan des réalisations que sur celui de leur autonomie en matière de gestion de ressources humaines. Cette tâche représente aussi pour moi l'occasion d'atteindre un but primordial : intervenir de manière **préventive** plutôt que **curative**.

Ainsi, avec cette mission en tête, j'ai réalisé à quelques reprises cette expérience en collaboration avec un professionnel en ressources humaines de l'interne. Les effets positifs d'une telle démarche d'apprentissage et la richesse de nos contributions respectives auprès des groupes cibles ont été grandement appréciés. Ils m'incitent à partager avec vous le processus de ma démarche et à le rendre accessible dans ce livre.

Les expériences que j'ai acquises au cours des dernières années me confirment que ce type d'expertise répond de plus en plus aux besoins des organisations. Les fusions et les croissances rapides des entreprises, par le biais de multiples acquisitions, incitent les gestionnaires décideurs à adopter de nouvelles stratégies. Ceux-ci doivent s'efforcer d'intégrer les systèmes financiers et comptables ainsi que tous les biens et immeubles. Les gestionnaires sont aussi tenus de réorganiser les structures organisationnelles et de redistribuer les rôles ainsi que les responsabilités de manière équitable au sein de l'équipe de direction. Mes observations confirment qu'on se limite bien souvent à la consolidation des entreprises sur le plan financier. En effet, on procède à l'intégration des systèmes et des structures, mais on néglige la plupart du temps l'élément le plus important d'une consolidation, qui assure la continuité des changements : **l'être humain**.

Les professionnels en ressources humaines à l'interne qui sont sensibles à cette nécessité n'ont pas le temps de mettre en place un processus de mobilisation et d'intégration des nouvelles équipes. Ils sont déjà débordés par la tâche de faciliter l'intégration des nombreux programmes en place : régime de rémunération, programme de performance, régime d'assurance, conventions collectives (s'il y a lieu), etc.

Malheureusement, on omet trop souvent de faire appel à des experts en gestion des changements. Ces derniers peuvent pourtant aider les gestionnaires à incorporer des cultures d'entreprises différentes et mettre à leur disposition des outils pour favoriser l'intégration d'expertises différentes. Ainsi, la création d'une synergie au sein de leurs équipes leur permettra d'accélérer l'introduction des changements organisationnels qu'ils devront gérer.

Pendant qu'on procède à ces modifications, les employés qui se joignent à la nouvelle entreprise doivent se montrer patients. Parfois, des semaines s'écoulent avant qu'ils obtiennent des précisions sur les conséquences qu'auront ces changements sur leur travail. Les employés se posent alors de nombreuses questions sur leur milieu de travail, leur nouveau rôle, leurs responsabilités, etc. L'insécurité et la démobilisation qui résultent de ces changements font perdre un temps précieux. Dans ce contexte, les professionnels en ressources humaines doivent consacrer beaucoup d'énergie à poursuivre la mise en place du plan d'intégration des ressources humaines – s'il en existe un !

Ce livre servira d'outil de réflexion et de gestion aux professionnels en ressources humaines et aux gestionnaires qui gèrent quotidiennement des changements dans l'organisation d'une entreprise. Dans bien des cas – développement de compétences, fusion d'entreprises ou implantation de nouvelles technologies –, la consolidation des équipes de direction ou des équipes de travail devient indispensable. Elle permet d'assurer que les changements organisationnels soient réalisés en accord avec l'orientation de l'entreprise, et avec les valeurs et les modes de fonctionnement des équipes.

Mes objectifs

Ce livre approfondit la question de la consolidation d'équipe pour définir les bénéfices que celle-ci apporte, les façons de faire et quelques outils utiles à sa préparation. Au-delà des aspects pratiques, j'ai poursuivi trois objectifs en rédigeant cet ouvrage.

1. *Donner une nouvelle méthode de travail aux professionnels en ressources humaines.* Avec les informations qu'offre ce livre, il leur sera plus facile de déterminer les besoins de leur organisation en matière de consolidation d'équipe, de promouvoir la consolidation d'équipe à l'interne ou encore de gérer eux-mêmes un processus de consolidation d'équipe avec leurs clients internes. De cette manière, ils réussiront à faire face de manière proactive aux changements organisationnels à venir et éviteront les conflits.

2. *Préparer les responsables d'équipes de travail à vivre une expérience de consolidation d'équipe et les initier à l'importance de travailler à la « dimension équipe ».* À cause de son rôle hiérarchique, le gestionnaire d'équipe ne peut conduire lui-même sa propre consolidation d'équipe. Il participe à la dynamique d'équipe. Aussi, son style de leadership peut être la source des difficultés qu'éprouve son équipe.

Consolez-vous, ce genre de situation survient assez fréquemment. J'ai observé maintes fois des problèmes d'inefficacité au travail en raison des difficultés relationnelles ou de communication existant entre le patron et ses employés. Dans ce genre de situation, le gestionnaire est partie prenante au problème. Il est donc recommandé de faire appel à une tierce personne neutre et impartiale – un conseiller interne ou externe - qui veillera à mettre en place un processus de consolidation d'équipe.

Vous vous dites sans doute : « Pourquoi donc devrais-je lire ce volume si le processus et les outils présentés ne peuvent être appliqués que par des professionnels en ressources humaines ou autres personnes du genre ? » En vous initiant à l'importance de travailler la « dimension équipe » et vous familiarisant avec les cas présentés, vous serez mieux préparé à vivre un tel processus et ainsi plus ouvert aux échanges provenant de vos membres d'équipe. Les bénéfices à en tirer à court terme seront supérieurs. De plus, miser sur la synergie et le sentiment d'appartenance de votre équipe offre la possibilité de vivre de plus grands succès.

Il faut bien se l'avouer. La majorité des équipes obtiennent les résultats escomptés : c'est pour cela qu'on les paie. Cependant, l'atteinte des résultats n'indique pas pour autant que le climat de travail est sain et harmonieux. Bon nombre de gestionnaires croient à tort que l'atteinte des objectifs suffit à former une équipe unie. Souvent, les employés qui excellent dans le travail d'équipe quittent l'entreprise pour rejoindre une entreprise concurrente, à la recherche d'une plus grande valorisation de leurs compétences. Conscient de cette réalité, le gestionnaire éclairé sera plus à l'aise d'assumer un rôle important dans l'entretien d'un climat de travail stimulant pour son équipe, et ce, pendant et après une intervention comme celle que nous proposons dans ce livre.

3. *Sensibiliser la haute direction à l'importance de gérer de manière proactive la dimension humaine dans tous les types de transformations d'entreprises.* Je sais, je sais, il s'agit d'un objectif de taille. Mais, suivez-moi, vous verrez, j'ai plus d'une carte dans mon jeu.

Bonne lecture et bonne réflexion !

CHAPITRE 1

Pourquoi investir dans la formation de vos équipes de travail ?

L'évolution des pratiques de gestion

Au cours des 10 dernières années, le monde du travail a connu des bouleversements économiques, politiques, technologiques et sociaux d'envergure : l'évolution des marchés internationaux, l'avancement engendré par les nouvelles technologies de communication et Internet, l'augmentation du nombre de fusions et d'acquisitions des entreprises, le contrôle de l'économie par les groupes financiers. Ces changements ont obligé les entreprises à réagir rapidement, à adapter constamment leurs méthodes de gestion afin de demeurer dans la course et de rentabiliser leurs activités.

Notons brièvement les différentes pratiques de gestion qui ont marqué la dernière décennie : restructurations majeures, mouvement de la qualité totale, certifications ISO, réingénierie des processus. Ces dernières obligent les principaux acteurs de l'entreprise à modifier leurs comportements au travail et à évoluer en équipes. Le travail d'équipe entraîne un brassage d'idées et la multiplication des ressources dans le seul but d'innover, de faire bonne figure et de se démarquer de la concurrence.

Les tendances en ressources humaines

L'apport des conseillers et des professionnels en ressources humaines (RH) est de plus en plus précieux. En effet, les gestionnaires des opérations ont affaire à une main-d'œuvre de plus en plus spécialisée, compétente et exigeante quant à ses conditions de travail et à son sentiment de réalisation. Ce phénomène entraîne une réalité tout à fait nouvelle pour les professionnels en RH : **l'attraction et la rétention des ressources compétentes et qualifiées** sont capitales pour assurer la continuité du succès de l'organisation.

Une étude menée par le Groupe-conseil Aon sur les tendances en matière de ressources humaines (1998) illustre l'évolution du rôle des professionnels en ressources humaines dans le milieu de travail. À la question « Quelle compétence est devenue la plus importante au cours des trois dernières années ? », trois répondants sur quatre ont affirmé qu'il s'agissait des compétences en relation avec la **gestion du changement**, le **leadership** et la **planification stratégique**.

De nos jours, les organisations qui désirent garder leurs meilleures ressources sont tenues de changer leur approche de la gestion. Elles doivent devenir de bons coachs, créer un climat de travail stimulant pour l'ensemble de leurs employés et faire appel à la créativité et à la capacité d'innover de chacun. Dans cette foulée, la contribution des professionnels en ressources humaines constitue un élément clé dans la réussite de l'organisation. Ces derniers peuvent devenir d'excellents partenaires qui feront évoluer les pratiques de gestion de l'organisation et qui soutiendront les gestionnaires dans la mise en place des changements organisationnels.

L'évolution des responsabilités des gestionnaires

Les gestionnaires d'aujourd'hui sont de plus en plus appelés à acquérir de nouvelles compétences. Par le passé, pour être un bon gestionnaire, il suffisait de gérer des opérations, de contrôler des processus et de diriger le personnel pour qu'il effectue ses tâches quotidiennes. Ces objectifs ne collent plus à la réalité actuelle. Pour réaliser le projet d'une entreprise et satisfaire le besoin d'accomplissement de son personnel, le gestionnaire doit **évoluer dans sa pratique de gestion**.

Le défi principal des gestionnaires est de gérer la diversité des êtres humains. Cette tâche implique de nouvelles responsabilités incluant la gestion des compétences, des équipes de travail, des communications, des conflits, des particularités en vue de stimuler la créativité et de satisfaire les besoins d'accomplissement d'un groupe hétéroclite d'employés. Vous pensez que le travail d'équipe permettra de résoudre tous vos problèmes ? Il vous faudra aiguiser vos habiletés. En effet, gérer des équipes de travail comporte nécessairement la gestion de différences et de conflits potentiels.

Un client me confiait récemment : « Il est plus facile de gérer des produits et des services que de gérer des humains. » Voilà une vérité que bien peu de gens mettront en doute ! Les grands penseurs de ce siècle proclament que les meilleurs gestionnaires sont ceux qui possèdent et maîtrisent des compétences liées à l'**intelligence émotionnelle**. De tels gestionnaires manifestent leurs habiletés à entretenir, avec empathie, de bonnes relations interpersonnelles en communiquant les objectifs clairement et en étant à l'écoute des gens qui les entourent. Ils savent s'adapter aux changements et font preuve de leadership. Enfin, ils sont créatifs et innovateurs.

Les gestionnaires qui réussissent à **adapter leur style de gestion** aux équipes qu'ils gèrent obtiennent plus de succès que ceux qui s'en tiennent à la gestion traditionnelle. Celle-ci a été remplacée par la gestion par projet ou le coaching. Les efforts sont investis adéquatement dans les projets ou les résultats visés et dans la gestion des processus humains.

Comme je l'ai mentionné dans l'introduction, je ne crois pas qu'un gestionnaire puisse conduire lui-même son propre processus de consolidation d'équipe, surtout s'il s'agit d'une première expérience. Il doit faire appel à un spécialiste des ressources humaines. L'expérience me confirme que les gestionnaires qui se sont prêtés à cet exercice en sont ressortis grandis. Ils se sont montrés plus ouverts à adapter leur style de gestion en fonction des gens qu'ils dirigeaient dans leur quotidien.

En effet, dans plusieurs consolidations, j'ai vu des personnes se transformer et s'ouvrir de manière telle que même les collègues ou les employés avaient du mal à y croire. La consolidation d'équipe crée des occasions insoupçonnées d'échange et de rétroaction entre les gens. Ces dernières alimentent une réflexion ou mieux une transformation qui s'avérera profitable sur le plan humain. Déjà votre propre réflexion émanant de cette lecture constitue un point de départ avantageux.

Pourquoi sensibiliser les gestionnaires à la consolidation d'équipe ?

Divers contextes de travail obligent le gestionnaire à réagir vite et bien. Le gestionnaire avisé sait utiliser l'ensemble des outils de gestion dont il dispose pour faire face aux changements organisationnels. Une consolidation d'équipe n'est pas le remède miracle à tous les maux, mais elle peut s'avérer une belle occasion de départ dans les contextes suivants.

La gestion d'équipes multidisciplinaires ou d'équipes dont les membres possèdent une grande expérience par rapport à leurs fonctions nécessite une approche différente de la plupart des gestionnaires. Afin de réaliser son projet d'entreprise, le gestionnaire doit :

- connaître les forces de chaque membre de son équipe ;
- maximiser l'utilisation du potentiel de chacun de ses membres ;
- bâtir la confiance et la solidarité au sein de son équipe de travail.

C'est exactement ce que le processus d'une consolidation d'équipe réussie donne comme résultat. La consolidation permet également d'accroître la satisfaction et la motivation au travail auprès des personnes qui y ont participé, car elle crée un environnement propice aux échanges.

Dans le cas d'une fusion d'entreprises, le contexte n'est pas différent. Les gestionnaires qui héritent de nouvelles équipes de travail doivent s'assurer que chacun des membres de l'équipe contribue aux objectifs du groupe.

- *Les travailleurs doivent connaître les nouvelles règles du jeu.* Il faut qu'ils approfondissent la vision de leur dirigeant ainsi que les nouvelles valeurs qui guideront l'équipe, leurs rôles et leurs responsabilités.
- *Les travailleurs doivent comprendre ce qu'on attend d'eux concrètement.* On doit leur montrer comment ils peuvent contribuer de manière significative aux projets de leur équipe de travail, et ce, le plus rapidement possible. Trop souvent, on croit qu'une personne qui connaît bien son travail pourra mettre en pratique son savoir-faire dans une réalité différente. On oublie que tout change dès qu'un nouveau joueur occupe un poste et qu'on doit souvent renégocier les règles du jeu en fonction de nouveaux employés.
- *La confiance et l'équilibre acquis par l'équipe peuvent être fragilisés par l'arrivée de nouveaux joueurs.* L'équipe a besoin d'un temps pour apprivoiser de nouvelles personnes et se familiariser

avec elles. Elle peut ainsi bâtir des liens de confiance et redéfinir le leadership du groupe.

Certes, le temps peut conduire à l'établissement de ces nouvelles bases. Malheureusement, trop de gestionnaires s'en remettent au vieil adage : « Le temps arrangera bien les choses. » Il est vrai que le temps y contribue de manière significative. Toutefois, il n'en demeure pas moins que les organisations les plus dynamiques et les plus performantes gagnent du terrain.

La tenue d'une activité de consolidation d'équipe, dès les premières semaines suivant la mise en place d'une nouvelle équipe, permet d'activer le processus de changement et d'intégration au sein de l'équipe. À court terme, l'équipe pourra acquérir **une plus grande efficacité**. De plus, une équipe qui a expérimenté une activité de groupe avec succès affrontera un problème avec plus de facilité. Elle pourra miser sur les acquis et évoluer vers un plus grand degré de maturité.

La contribution de ressources externes

Faire appel à une ressource externe peut faciliter le processus de changement. Avec un regard neuf, le conseiller externe est en mesure de distinguer les facteurs qui peuvent entraver le processus de consolidation et déterminer les résistances qui s'opposeront au changement souhaité. Puisqu'il est neutre, le conseiller externe n'a pas de parti pris et n'est pas « contaminé » par les forces réfractaires à l'orientation que désire prendre l'entreprise. Il peut donc constituer un avantage par rapport à une ressource interne.

La réussite d'une consolidation d'équipe repose sur le respect de deux règles importantes. Celles-ci peuvent d'ailleurs rendre le choix d'une ressource **externe** plus avantageux.

1. *Le respect de la confidentialité.* Voilà un facteur important pour obtenir du succès. Si les problématiques vécues au sein de l'équipe sont d'ordre relationnel – cela est assez fréquent – et qu'elles sont liées à certains employés ou au patron, il faut être en mesure de recueillir l'information et de la communiquer de manière constructive aux personnes concernées.

Dans la plupart des cas, lorsqu'un lien d'autorité est en cause, les membres de l'équipe peuvent craindre des représailles. Le conseiller externe est alors bien placé pour sensibiliser le gestionnaire responsable et l'aider à cheminer dans cette situation sans avoir à révéler la source de ses informations.

2. *L'impartialité.* L'impartialité assure l'évolution d'un processus de consolidation d'équipe où des conflits interpersonnels se présentent, et ce, sans mettre en jeu les intentions cachées de chacun. Notamment, les conflits existent parce qu'ils constituent une source de pouvoir pour certains. Donner plus d'importance à une personne peut indirectement accroître son pouvoir personnel et la favoriser. Accorder trop d'importance à une personne ou être trop empathique à son égard peut avoir des conséquences néfastes sur l'ensemble de l'équipe. Le conflit risque de s'intensifier au lieu de se résoudre.

CAS

S'assurer de l'impartialité du professionnel en RH s'il participe à la consolidation d'équipe

Une organisation dans le secteur manufacturier souhaite rétablir le climat de travail dans l'une de ses divisions. La situation n'est pas très enviable. Les employés de cette division expriment leur mécontentement devant les changements d'horaires et de structures apportés par la direction.

Les cadres intermédiaires doivent gérer quotidiennement les frustrations des employés et diverses manifestations de résistance résultant de ces changements. Le climat de travail est lourd. L'essoufflement des cadres se fait de plus en plus sentir : 5 des 15 cadres intermédiaires ont eu à s'absenter pour épuisement professionnel au cours des 6 derniers mois. Il est nécessaire d'agir rapidement afin de remédier à cette situation.

C'est dans ce contexte qu'on me demande de faire équipe avec le professionnel en ressources humaines de l'interne pour organiser des séances de consolidation d'équipe durant deux journées. Je suis tout à fait à l'aise avec ce genre de dynamique. Parfois, je travaille seule et parfois je travaille avec une ressource à l'interne.

La collaboration avec quelqu'un de l'interne offre la possibilité de s'imprégner rapidement de la culture de l'organisation et de proposer des solutions adaptées à celle-ci. Elle permet également d'assurer un suivi régulier auprès des équipes – le consultant n'étant pas continuellement présent au sein de l'organisation. Nous effectuons donc ensemble la première étape cruciale de la démarche : l'analyse des besoins auprès du gestionnaire responsable et de ses cadres.

Lors de cette première rencontre, je réalise que mon collaborateur interne entretient une relation d'amitié avec le gestionnaire responsable et qu'il a, par le passé, dirigé certains des cadres de cette équipe. « Nous faisons peut-être face à un problème ici », me dis-je. Puis l'un mentionne à l'autre, en parlant d'un cadre de l'équipe : « Comment ça se passe avec Luc ? Est-il aussi mêlé qu'avant ? » L'autre répond : « Mêlé, tu dis ? Ça n'a pas beaucoup changé. Il faut que je te raconte ce qu'il a fait l'autre jour… » Et les deux se mettent à rigoler sur le compte de Luc. Assurément, il faut remettre les pendules à l'heure.

L'impartialité est capitale dans ce genre d'exercice. Visiblement, dans ce cas particulier, la relation d'amitié peut limiter, dans une certaine mesure, les interventions ou le feedback que le professionnel en RH pourrait donner au cours du processus de consolidation.

Devant cette situation, nous convenons d'un mode de fonctionnement dans la poursuite de l'intervention. Je propose que le rôle du professionnel RH se limite à observer la dynamique du groupe et à apporter des observations sur ce qui se passe dans la consolidation d'équipe – observations factuelles, il va sans dire, dénudées de tout jugement. Entente conclue, nous entreprenons le processus ensemble. Je vérifie également au début de la première journée de consolidation auprès des membres de l'équipe si la présence et le rôle du professionnel en RH les dérangent. La totalité du groupe accepte la présence de mon collaborateur.

Au cours de l'intervention, le professionnel en RH a réussi à se tailler une place comme intervenant-conseil. Ses observations, formulées au groupe à des moments opportuns, se sont avérées fructueuses pour toute l'équipe. Le processus de consolidation s'est déroulé de manière tout à fait impartiale.

Lorsque je sens que la portée de l'intervention serait limitée par la présence d'un professionnel en RH ou qu'elle susciterait plus de malaises que d'avantages, il m'arrive de refuser qu'il participe aux journées de consolidation. Je propose alors de valider chacune des étapes du processus avec lui (les étapes du processus sont présentées au chapitre 4) et de m'assurer que, avant la fin de l'intervention, le professionnel reprendra le collier dans le suivi auprès de l'équipe.

La mise en place d'une conscience d'équipe exige de la discipline

Peu importe le contexte, on peut améliorer la cohésion au sein d'une équipe en optant pour une démarche qui valorise les relations interpersonnelles. Pour y parvenir, on doit constamment nourrir le sentiment d'appartenance, favoriser des communications ouvertes et franches, et créer la synergie d'équipe, qui en deviendra le moteur.

Les employés les plus satisfaits de leur travail éprouvent un sentiment d'appartenance à leur équipe. Ils croient que leurs compétences contribuent grandement au succès de l'organisation.

Un expert en leadership, Stephen Covey, m'a beaucoup influencée dans mes recherches et dans ma pratique. Selon cet auteur de best-sellers, les gestionnaires qui sont de vrais leaders possèdent les quatre qualités principales suivantes :

Les 4 qualités des leaders selon Stephen Covey

1. *La vision.* La vision permet de canaliser les énergies de l'ensemble des ressources et oriente les actions vers des objectifs communs. Un leader doit posséder les qualités d'un bon coach et veiller au développement des compétences de ses ressources pour atteindre les objectifs et les résultats escomptés.

2. *La discipline.* Un leader charismatique met en pratique ce qu'il prône. La discipline se traduit non seulement par les services qu'il offre, mais aussi par le respect de la mission

et des valeurs de son organisation et de son équipe. Les actions et les gestes de chacun doivent se conformer aux règles mises en place, aux procédures et aux modes de fonctionnement qu'a adoptés l'équipe. Le leader veille à ce que chacun respecte ces règles et les applique avec discipline et rigueur.

3. *La passion.* C'est en quelque sorte le cœur du travail. Plus nous sommes engagés et enthousiastes, plus nous communiquons notre dynamisme aux autres. Le leader influence les autres en montrant son engagement et sa passion pour son travail.

4. *La confiance.* C'est la condition de base qui assure la survie d'une équipe, voire d'une organisation. Tous doivent faire preuve de confiance et respecter les valeurs qui caractérisent l'organisation. Une équipe ne peut fonctionner sereinement sans cela. Si la confiance décline, le climat se détériore et plus les leaders en place perdent leur influence et leur pouvoir charismatique.

À l'aide de ces quatre qualités, les leaders charismatiques sont capables de favoriser un climat de travail où tous les employés ont la possibilité d'apprendre et d'évoluer selon leurs compétences au sein de leur équipe. Les leaders efficaces évaluent les besoins de leurs collaborateurs, les anticipent et mettent en place des moyens pour y répondre au moment opportun.

Le processus de consolidation d'équipe aborde plusieurs dimensions propres au développement d'une équipe. Pour que les initiatives de l'équipe évoluent au-delà d'une période de deux ou trois jours, il faut constamment **alimenter** le processus d'équipe. Le rôle principal du gestionnaire est alors de veiller à ce que les habitudes et attitudes nouvellement acquises de son équipe soient constamment renforcées dans le quotidien. Dans ce contexte, les professionnels en RH peuvent aider les gestionnaires à :

- mettre au point des outils de travail pour soutenir le travail d'équipe ;
- adapter les programmes de rémunération et de reconnaissance avec le processus de gestion en cours.

CAS

Exemple de cohérence entre les programmes de reconnaissance et la culture d'équipe

Une organisation du secteur financier effectue une restructuration au sein de ses différentes directions.

La structure précédente comportait trois directions, soit les services financiers, le développement de nouveaux marchés et nouveaux produits et le service à la clientèle, qui fonctionnaient de manière indépendante. Afin de créer une plus grande synergie et d'offrir un service à la clientèle de qualité supérieure, les trois directions doivent désormais se retrouver sous le même toit.

C'est dans ce contexte que le cadre supérieur me demande d'animer une retraite de deux jours auprès de son équipe entière. Nous convenons d'un commun accord de créer un momentum en amenant les sous-groupes à clarifier leur nouveau mode de fonctionnement et mieux connaître leurs équipiers. Je leur propose alors un atelier qui se nomme *Travail d'équipe et créativité*, avec utilisation du MBTI comme outil permettant de mieux comprendre les différences individuelles (l'outil est présenté au chapitre 3 et en annexe).

Je suis consciente que l'activité proposée permettra de répondre - dans l'immédiat - au besoin défini par mon client mais qu'à elle seule cette activité de deux jours ne suffira pas à changer les habitudes de travail bien ancrées de ses gestionnaires. La culture de travail axée sur les performances plutôt individuelles ou par secteurs constitue un obstacle majeur à la synergie visée par mon client. Je soulève le point auprès de ce dernier et lui demande : « Qu'est-ce qui vous permet de croire que vos gestionnaires vont adhérer à cette nouvelle structure ? À quels indices serez-vous en mesure de constater que votre équipe travaille bien en synergie ? » Nous discutons de ces éléments. Le client avait déjà réfléchi à la question. Il propose d'annoncer à ses cadres une modification au programme de reconnaissance. Dorénavant, un pourcentage (variant entre 10 % et 20 %) de leur prime sera consacré aux **objectifs atteints en équipe**.

De plus, la haute direction, en collaboration avec les ressources humaines, formera des comités de résolution de problèmes qui se tiendront toutes les semaines. Les équipes pourront venir y présenter leurs succès et leurs difficultés. Le coaching offert par la haute direction permet de dénouer au fur et à mesure les impasses vécues au sein des équipes nouvellement constituées. Le nouveau contexte de cette structure offre plusieurs chances de succès. L'affaire me semble très prometteuse.

Décidément, cet exemple illustre comment la dimension équipe peut devenir une préoccupation constante, de tous les jours. J'ai maintes fois été en mesure de constater les écarts entre le discours et les actions des décideurs. Le travail d'équipe doit être considéré comme **une réponse aux nouveaux besoins de l'organisation** et non comme une mode à suivre. Y avez-vous pensé ?

3 questions à se poser

1. Quels sont vos modes de rémunération et vos programmes de reconnaissance actuels ?

2. Sont-ils en accord avec la pratique de gestion que vous privilégiez ?

   Comment comptez-vous adapter votre discours à la réalité... et offrir une plus grande cohérence à vos employés ?

3. Voilà des questions de fond que je pose aux professionnels en RH et aux gestionnaires décideurs. J'ai parfois l'impression que je leur laisse plus de problèmes à résoudre que je ne les aide à en résoudre... Il faut le dire, la gestion des ressources humaines n'est pas toujours aussi simple qu'elle en a l'air !

Chose certaine, la présence d'un professionnel en RH ou d'une ressource externe peut favoriser l'établissement d'une nouvelle culture de travail. Sa collaboration aide l'organisation à créer une nouvelle synergie et à veiller à la progression des groupes de travail. Les gestionnaires opérationnels devraient considérer ces derniers comme des partenaires essentiels au moment de la modification des structures organisationnelles et des programmes en RH répondant aux nouvelles réalités de l'organisation. Les professionnels en RH peuvent s'avérer d'excellents architectes de votre organisation.

La prévention a bien meilleur goût

Pourquoi attendre au dernier moment pour réagir ? Être proactif signifie devenir des leaders du changement, des pionniers du succès. Les conséquences d'un climat de travail malsain sont très coûteuses sur les plans humain et organisationnel.

Pensons, entres autres, au stress, à la frustration, aux conflits interpersonnels et aux problèmes de santé (épuisement professionnel ou maladies). Sans compter tous les autres symptômes, qui sont des indices indéniables d'un mauvais climat au sein d'un groupe de travail ou d'une organisation entière : désengagement du personnel, résistance au changement, démobilisation, baisse de motivation et de productivité. Posez-vous la question suivante : « Comment, en tant que gestionnaire, puis-je ne pas tenir compte de tous ces symptômes et poursuivre mon travail sans m'épuiser ?

CAS

Exercice de prévention

Trois mois plus tard, le groupe client cité dans l'exemple précédent me propose d'animer un atelier d'appoint sur la gestion des conflits. Lorsque je lui demande de préciser quelques exemples de conflits vécus au sein de ses équipes, il me répond : « Il n'y en a pas. Je veux former mes gestionnaires afin qu'ils puissent prévenir les conflits et aussi qu'ils soient habilités à les gérer auprès de leurs équipes respectives. »

La réaction proactive de ce gestionnaire est une preuve concrète de sa volonté de favoriser la synergie de son équipe et de son souci de maintenir un climat de travail harmonieux. Ce genre de demande est très stimulant. Les interventions proactives sont beaucoup plus agréables à mener que les actions curatives.

En effet, même s'il est impossible de tout miser sur la prévention, il n'en demeure pas moins que, lorsque les décideurs investissent intelligemment dans le perfectionnement de leurs leaders, ces derniers savent apprécier et reconnaître l'intérêt et l'attention qu'on leur accorde. Pour un intervenant, animer des séances de consolidation dans un tel contexte est un vrai délice.

Un climat de travail dynamique est, à mon avis, ce qu'il y a de plus précieux dans une organisation. Une organisation sans bon climat de travail, c'est comme une ville sans âme. De plus, le climat témoigne de la santé de l'entreprise et fournit des renseignements sur sa mission et ses valeurs.

Plusieurs spécialistes en recrutement vous le diront. Les personnes compétentes qui recherchent un emploi valorisent un milieu de travail stimulant leur offrant une qualité de vie qui répond à leurs critères. Vivre dans un climat sain, c'est aussi se permettre d'éprouver un certain plaisir au travail. Nous retrouvons là l'une des qualités de Covey évoquées précédemment : la passion pour son travail.

CHAPITRE 2

La consolidation d'équipe : est-ce pour vous ?

Une définition et des éléments clés

Le Petit Robert nous apprend que consolider signifie : rendre plus solide, plus stable ; affermir, fortifier, renforcer, soutenir, stabiliser. Dans mes termes, consolider une équipe de travail consiste à « rallier ses membres autour d'objectifs communs dans un climat qui favorise la communication, le dynamisme et le plaisir au travail ».

Puisque la communication est l'outil principal d'une consolidation, j'inclus régulièrement les exercices suivants dans mes séances de consolidation d'équipe :

- Le feed-back entre les membres d'une équipe
- La découverte de modes de communication clairs et efficaces
- La communication des attentes envers les membres de l'équipe

- La clarification des rôles et des responsabilités

- La définition des valeurs et les normes de l'équipe

Le lecteur curieux de connaître ce qui se passe concrètement au cours d'une séance de consolidation d'équipe trouvera réponse au chapitre 3. Il pourra avoir une image de l'utilisation de certains des exercices mentionnés ci-dessus.

Les 6 éléments clés d'une consolidation d'équipe réussie

1. Chaque membre de l'équipe doit éprouver le besoin de travailler en équipe.

2. Chaque membre de l'équipe doit comprendre que nous sommes tous interdépendants les uns des autres.

3. Chaque membre de l'équipe doit prendre conscience de l'objectif commun à poursuivre.

4. La personne responsable de la consolidation doit assurer l'organisation des relations entre les individus.

5. La personne responsable de la consolidation doit mettre en place des conditions et un climat favorisant une communication ouverte et franche entre chacun des membres.

6. La personne responsable de la consolidation doit favoriser le développement du sentiment d'appartenance et la création d'une synergie au sein de l'équipe.

Qui doit-on inclure dans une consolidation d'équipe ?

Le choix des personnes qui participeront à une séance de consolidation d'équipe repose sur les besoins d'amélioration, ciblés par le demandeur (client mandataire), et le lien avec la structure organisationnelle en place. De façon générale, j'inclus **tous les membres** d'une équipe naturelle : le gestionnaire hiérarchique et ses subalternes.

Dans certains cas, j'ai assisté des collaborateurs internes (professionnels en ressources humaines) ou d'autres responsables de services qui avaient un lien fonctionnel avec l'équipe en question. Dans de rares situations, des **clients internes** de l'équipe étaient également présents. Leur participation était justifiée parce qu'ils jouaient un rôle actif dans le processus de prestation des services offerts par l'équipe. Leur contribution a donc eu un effet important sur l'amélioration des services rendus et sur la qualité des relations entre les membres de l'équipe.

Comment savoir si c'est nécessaire pour vous ?

Divers besoins ou diverses situations peuvent nécessiter une consolidation d'équipe. La majorité des interventions que j'ai menées a visé la satisfaction de l'un ou de quelques-uns des besoins suivants :

- L'amélioration du climat de travail au sein de l'équipe
- L'augmentation d'interactions entre les membres de l'équipe
- La compréhension des différences individuelles
- L'amélioration de l'efficacité de l'équipe
- La clarification des rôles et des responsabilités

- La définition des objectifs et des résultats à atteindre
- L'intégration de nouveaux membres au sein d'une équipe ou la formation d'une nouvelle équipe de travail
- La création d'une plus grande synergie d'équipe
- La gestion et la résolution de conflits interpersonnels ou d'intérêts

Lorsque des équipes de travail vivent certains conflits, exprimés ou non, des tensions deviennent palpables, et la productivité diminue. Dans ce cas, on observe souvent un désengagement des membres par rapport aux objectifs de l'équipe. Dans ce genre de situation, une consolidation permet de relever les insatisfactions des membres ou de résoudre les conflits qui freinent l'évolution et le rendement de l'équipe. Le chapitre 5 aborde les conditions nécessaires à la résolution de conflits.

Le court questionnaire suivant sert à mettre en évidence certaines situations où une consolidation d'équipe pourrait être bénéfique. Il vous aide à déterminer le contexte nécessitant une consolidation. Serez-vous **proactif** ou **réactif** ?

Votre équipe a-t-elle besoin d'être consolidée ?

N°	Énoncés	oui/non
1	Votre structure organisationnelle a-t-elle changé au cours de la dernière année ?	
2	Votre organisation vient-elle de fusionner avec une autre ?	
3	Vous avez fusionné des secteurs ou des organisations et vous devez intégrer des cultures de travail différentes.	
4	Les rôles et les responsabilités de chacun des membres de l'équipe ne sont pas clairs.	
5	L'équipe éprouve des difficultés à communiquer.	
6	Il existe des conflits interpersonnels entre certains membres de l'équipe.	

7	Vous venez d'accepter la direction ou la responsabilité d'une nouvelle équipe.
8	Au cours des derniers mois, vous avez intégré de nouvelles personnes au sein de votre équipe de travail.
9	Un climat de méfiance existe au sein de l'équipe.
10	Les rumeurs sont devenues monnaie courante dans votre département/service ou dans votre organisation.
11	À tout moment, les membres de l'équipe remettent en question – dans les corridors – les décisions prises pendant les réunions.
12	Les membres de l'équipe ne prennent pas tous à cœur les objectifs de l'équipe.
13	Vous avez remarqué une baisse de la motivation et de l'engagement chez un grand nombre de vos collaborateurs.
14	La devise qui prévaut au sein de l'équipe est : « Chacun pour soi ».
15	On craint d'exprimer ses opinions personnelles ou de faire montre de son état d'esprit dans l'équipe.
16	Votre équipe réussit bien. Vous recherchez une activité pour renforcer la solidarité de l'équipe et pour valoriser chacun de ses membres.
17	Votre équipe se situe à mi-chemin dans un processus de changement important, et vous voulez stimuler les membres de votre équipe à poursuivre leur évolution.

Résultats

Si vous avez répondu oui aux affirmations 2, 3, 7, 8, 16, 17

Si vous entreprenez un processus de consolidation d'équipe dans ce contexte, vous êtes proactif. Vous obtiendrez rapidement des résultats significatifs. Soyez assuré que la motivation et l'enthousiasme seront au rendez-vous !

Si vous avez répondu oui aux affirmations 1, 4, 5, 11, 12, 15

Des malaises sont présents au sein de votre équipe. Il est encore temps d'agir avant que la situation ne se détériore davantage. Vous pouvez encore améliorer l'efficacité et le climat du groupe pour éviter l'émergence de conflits.

Si vous avez répondu oui aux affirmations 6, 9, 10, 13, 14

Urgence ! Vous devez agir et intervenir. Le climat de travail n'est pas sain, la passion au travail est inexistante, et le moral des troupes est au plus bas. Il est fort probable que les réponses aux questions précédentes constituent également des indices de malaises au sein de votre groupe.

Il y a un besoin pressant d'apporter des changements pour désamorcer les conflits et pour éliminer l'ambiguïté du rôle de chacun dans l'équipe. La première étape à franchir sera peut-être de rétablir la communication entre les employés afin de dénouer les situations problématiques. Par la suite, il faudra travailler à la consolidation de l'équipe en entier.

Êtes-vous du type proactif ou réactif ?

Le gestionnaire proactif qui agit de manière préventive

Les gestionnaires qui agissent de manière **proactive** se rendent compte qu'on parvient à d'excellents résultats grâce au travail d'équipe. Ils sont également conscients qu'un climat de travail productif, où règne la solidarité, exige d'être entretenu, un peu comme une automobile. Sur le plan relationnel, ils savent que, pour maintenir la vitesse de croisière d'une équipe, il est très important de consacrer du temps à réviser les modes de fonctionnement et de veiller à cerner et à aborder les sources de malaise ou d'incompréhension. Une consolidation d'équipe qui se tient dans ce contexte a pour effet de solidifier et de renforcer les liens existants.

Clarifier et préciser les modes de fonctionnement de l'équipe pour l'avenir, et réviser les normes et les valeurs sont d'excellents moyens de faire de l'entretien et de la prévention.

Lorsque le plaisir est au rendez-vous et que l'équipe a le sens de l'humour, la consolidation devient alors une forme de reconnaissance pour tous, où les efforts de chacun sont valorisés et reconnus par l'ensemble du groupe.

Le gestionnaire réactif qui agit de manière curative

Les gestionnaires qui agissent dans un contexte curatif ont soit hérité d'une équipe où régnaient déjà des conflits – dans ce cas, ils adoptent trop souvent la position suivante : « C'est à eux de régler leurs différends, ils sont assez grands » –, soit participé eux-mêmes à la création de conflits. Dans ce dernier cas, la résolution des problèmes s'effectuera plus facilement si les gestionnaires décident de faire appel à un expert externe. Dans le cas contraire, en l'absence d'intervention, est-ce nécessaire de rappeler que l'efficacité de l'équipe sera nettement compromise ?

Pourtant, ce n'est pas le manque de volonté des gestionnaires qui traduit une absence de motivation à agir. Mes expériences me confirment que la gestion de conflits et tout ce qui a trait à l'aspect relationnel des individus demeurent encore des sujets tabous dans certaines entreprises. Une personne aura de la difficulté à exprimer un désaccord ou un différend dans un groupe si elle croit qu'elle ne sera pas appuyée par un ou plusieurs de ses collègues. À plus forte raison, elle sentira qu'il est encore plus difficile et plus risqué de formuler un désaccord si elle craint d'être rejetée du groupe. Lorsque l'expression des différences n'est pas permise, le groupe risque de stagner. À moyen terme, les personnes ne font plus d'effort pour changer les choses. Elles se limitent à ne faire que l'essentiel de leur travail. Les équipes sont alors dépourvues de leur source première de vitalité : leur créativité.

Les indices permettant de découvrir la présence d'un conflit

- Le climat est teinté de méfiance et d'insatisfaction.
- Les gens ne se disent plus ce qu'ils pensent ouvertement.
- Les intentions cachées sont nombreuses.
- Le moindre petit renseignement fait l'objet d'une lutte de pouvoir.
- Des tensions sont perceptibles au sein du groupe.
- Les réunions tournent en rond, elles sont inefficaces.

Au contraire, dans certaines cultures organisationnelles où l'on renforce l'expression des différences, les équipes se permettent un certain niveau d'affrontement. Or, la confrontation positive et l'argumentation d'idées engendrent les meilleures décisions et les inventions les plus remarquables. Les équipes qui confrontent ainsi leurs opinions sont celles qui réussissent à traverser une période trouble pour faire place à la performance et à la créativité. Ces équipes peuvent savourer alors de plus grands succès.

Dans d'autres cas, les gestionnaires réactifs sont le reflet même de la réalité du marché du travail. Ce dernier oblige les leaders d'aujourd'hui à atteindre certains résultats financiers, coûte que coûte, en maximisant les profits. Je dirais que 80 % de mes interventions s'effectuent dans ce contexte. On a laissé pour compte le climat de travail pour parvenir aux résultats financiers.

Hélas, il faut bien l'admettre : la haute direction est payée pour assurer à l'organisation un certain rendement. Je ne vous apprends rien en disant que nous vivons à une époque où la réussite d'une organisation est mesurée en fonction de son rendement à la Bourse plutôt que par la qualité des relations de ses ressources humaines. Il n'est donc pas surprenant de constater que la dimension humaine est – encore malheureusement – mise au dernier rang des préoccupations des gestionnaires.

Qu'à cela ne tienne, la bonne nouvelle, c'est que les professionnels en ressources humaines qui se spécialisent en développement organisationnel gagnent de plus en plus de terrain et sont de plus en plus considérés comme des agents de changements indispensables à l'atteinte des succès financiers. J'espère toutefois qu'ils ne tomberont pas dans le piège eux aussi.

Que pouvez-vous attendre d'une consolidation ?

Les bénéfices engendrés par une consolidation d'équipe sont nombreux. La synergie d'équipe qui en découle permet de rentabiliser rapidement les investissements sur les plans personnel et organisationnel. Tous les membres de l'équipe tirent profit des changements qu'elle apporte.

Les bénéfices pour l'organisation et les équipes de travail

Les apprentissages des équipes de travail dépendent des objectifs poursuivis et des résultats ciblés avant la consolidation. Selon les besoins établis et les activités proposées, les équipes de travail peuvent s'attendre à plus d'un résultat. Voici des exemples de résultats obtenus par des équipes de travail à la suite des expériences de consolidation qu'ils ont vécues avec moi :

- Meilleure connaissance de soi et des autres
- Acceptation et compréhension des différences individuelles
- Augmentation du nombre d'interactions positives au sein de l'équipe
- Établissement de codes de communication clairs
- Création d'un climat de confiance et de coopération au sein de l'équipe
- Amélioration de la qualité et de l'efficacité du travail d'équipe
- Enthousiasme à chercher des solutions proactives aux problèmes relevés
- Clarification des rôles et des responsabilités

- Clarification des règles de fonctionnement et des valeurs de l'équipe
- Adaptation du style de gestion et du leadership du gestionnaire responsable en fonction du degré de maturité de son équipe
- Utilisation adéquate des ressources de chacun et de leurs complémentarités pour atteindre des résultats significatifs et innovateurs
- Intégration des personnes au sein de l'équipe
- Engagement de chaque membre dans l'atteinte des objectifs d'équipe
- Valorisation et reconnaissance des efforts de l'équipe
- Prévention ou résolution de conflits
- Apprentissage d'un processus de mobilisation basé sur la synergie de groupe

CAS

Commentaires de personnes nouvellement intégrées

La plupart des expériences de consolidation d'équipe que j'ai menées ont permis d'intégrer de nouveaux membres à l'équipe. Je rapporte ici leurs commentaires, qui font foi des résultats concrets obtenus grâce à l'intervention :

- « J'ai eu l'occasion de connaître tous mes collègues en deux jours alors qu'en temps normal, cela m'aurait pris de trois à six mois. »

- « J'ai pu constater lors des échanges avec mes nouveaux collègues que je n'étais pas seule à vivre ces difficultés. Cela me rassure. »

- « J'ai pu établir des liens avec certains membres de l'équipe, qui deviendront d'excellents collaborateurs dans l'immédiat. »

- « Je connais mieux les attentes de mon patron et de mes collègues. Mes rôles et mes responsabilités sont beaucoup plus clairs maintenant. »

Les bénéfices pour la personne

Lorsque les personnes sont ouvertes et disposées à participer à un processus de consolidation, les apprentissages qu'elles peuvent en tirer constituent un atout dans leurs fonctions actuelles ou futures.

Quelques exemples de bénéfices sur le plan personnel :

- Meilleure connaissance de ses forces et des points à améliorer, entre autres lorsqu'on utilise un outil psychométrique tel que l'indicateur des préférences MBTI ou un profil de personnalité ADO

- Prise de conscience du style de ses interactions sociales et de leurs répercussions sur les autres

- Apprentissage ou clarification d'un processus de résolution de problème en groupe

- Connaissance du degré de maturité d'une équipe de travail et des stades d'évolution

- Prise de conscience de l'effet de son style de leadership au sein de l'équipe

- Renforcement de ses points forts et des points à améliorer comme membre d'équipe à l'aide de feed-backs

En réalité, la consolidation offre l'occasion à chaque personne de se tailler une place au sein de l'équipe et d'y exceller.

Les bénéfices pour le gestionnaire responsable

Le gestionnaire soucieux d'améliorer son influence et son leadership au sein de son équipe pourra bénéficier des avantages suivants :

- Apprentissage d'un processus de groupe qui pourra être répété et dirigé ultérieurement par le gestionnaire lui-même ;

- Acquisition de nouvelles compétences en matière de communication, de résolution de problèmes, de prises de décisions en groupe, de prévention ou de gestion de conflits ;

- Adaptation de son style de coaching en fonction des besoins de chacun des membres de l'équipe ;

- Mise en application d'un plan de match élaboré par l'équipe et utilisation d'outils pour effectuer le suivi approprié.

Les bénéfices présentés précédemment offrent de multiples possibilités de croissance et de développement personnel et professionnel. Les coûts associés à une consolidation (en dollars et en heures investis) seront rapidement rentabilisés après l'obtention d'un ou de certains de ces résultats. Voilà un investissement sûr qui rapportera à l'ensemble de l'organisation.

Des exemples de consolidation d'équipe

La consolidation à caractère opérationnel (hard teambuilding)

Il existe plusieurs formes de consolidation d'équipe. L'une des plus fréquentes fait appel à la clarification des rôles et des responsabilités des membres d'une équipe de gestion. Ce type de rencontre se tient annuellement dans le contexte de la planification des objectifs annuels. Elle a pour but de résoudre des problèmes organisationnels et de rallier les membres autour d'objectifs communs pour l'année.

L'animation de cette rencontre peut être assurée par le gestionnaire lui-même (s'il n'y a pas de dimension relationnelle à traiter), par les membres de l'équipe à tour de rôle, ou par une ressource à l'interne ou à l'externe. Les objectifs de la rencontre sont préalablement définis. Les points à l'ordre du jour sont présentés à l'avance à l'ensemble de l'équipe de gestion afin que chacun puisse se préparer.

Souvent, ce type de consolidation est appelé « lac à l'épaule » ou « retraite annuelle ». En effet, l'équipe de gestion choisit de se retirer à l'extérieur du bureau afin de ne pas être interrompue par ses tâches quotidiennes. Les membres de l'équipe se retrouvent ainsi dans des conditions qui les prédisposent à analyser les enjeux futurs de leur organisation et à choisir les meilleures décisions applicables.

CAS

Une entreprise en pleine croissance

Une entreprise dans le secteur pétrolier fait appel à mes services pour animer une retraite annuelle. Les huit gestionnaires des directions Opérations et Recherche et développement sont tous présents. L'objectif de cette retraite est d'établir les priorités et objectifs pour la nouvelle année. La commande consiste à aider ces gestionnaires à structurer leur plan d'action et à faire émerger une meilleure synergie d'équipe entre les deux directions. Le gestionnaire responsable et moi-même établissons ensemble le déroulement de cette journée.

Le déroulement

Matin

1. Présentation des objectifs de la rencontre
   - Déroulement et règles de fonctionnement
   - Attentes du gestionnaire responsable
2. Exercice de clarification de la vision et de la mission du service
3. Rédaction et mise en commun de la vision et de la mission du service

Après-midi

1. Définition des objectifs annuels en fonction de la mission et de la vision
   - Travail en sous-groupes
   - Accord sur les objectifs entre les deux sous-groupes
2. Élaboration du plan d'action
   - Chaque gestionnaire élabore son plan et précise les attentes de collaboration envers ses collègues
   - Mise en commun des attentes et discussion
   - Engagements
3. Rédaction finale du plan d'action global

Le plan d'action émanant de ce type de retraite est alors repris dans le quotidien et constitue la direction que prendra chaque membre de l'équipe. Une intervention de ce genre permet de canaliser les efforts vers des objectifs communs. L'exercice de mission et de vision aide à clarifier où l'équipe s'en va (sa vision) et si elle fait bien ce qu'elle est censée faire (sa mission). Le plan d'action élaboré à la suite de cet exercice devrait refléter cette réalité.

La consolidation à caractère relationnel (soft teambuilding)

Cet autre type de consolidation met l'accent sur la cohésion et la synergie de l'équipe en misant sur les aspects relationnels. L'équipe apprend alors à clarifier ses objectifs communs. Elle précise les étapes de la réalisation de ses mandats. Enfin, elle élabore ses propres règles de fonctionnement à partir d'un processus évolutif où les communications, l'esprit d'équipe et le sentiment d'appartenance tiennent une bonne place.

Dans ce type de consolidation, le levier utilisé pour aider l'équipe à améliorer son efficacité est **la qualité de ses interactions et l'utilisation adéquate des compétences de chacun de ses membres**. Il faudra donc effectuer l'analyse des besoins en abordant les points suivants :

- Les forces et les compétences de chacun
- Les liens d'interdépendance entre les membres de l'équipe
- Les jeux d'influence entre les membres
- Les sources de malaises ou d'insatisfactions
- Les frustrations et les conflits, exprimés ou non, entre les membres de l'équipe

L'intervenant qui conduit ce type de consolidation doit posséder de bonnes habiletés en communication. En effet, savoir décoder le langage non verbal et les émotions, être sensible au langage affectif du groupe sont des aptitudes indispensables.

CAS

Un patron exigeant

Une petite équipe de travail vit certaines difficultés relationnelles. Louise travaille jour et soir pour mener les réunions et réaliser les projets qui lui sont confiés par son président. Elle coordonne le travail de ses deux collaboratrices : son adjointe administrative et une coordonnatrice en chef qui travaille dans une autre ville. Lorsque le professionnel en RH me présente la situation, je lui mentionne qu'il faut absolument que le président soit présent à cette séance de consolidation. « Impossible, me réplique-t-il, jamais il n'acquiescera. Nous devons envisager une intervention sans sa présence en misant sur les habiletés de Louise. »

L'intervention me semble risquée *a priori* car il semble que les difficultés de l'équipe découlent en grande partie des rôles et responsabilités qui ne sont pas bien définis. Un examen plus poussé des symptômes et indices me permet de cibler une dynamique récurrente chez Louise. Le professionnel en RH m'indique qu'au cours des six derniers mois il a aidé Louise dans ses besoins de recrutement. Dans la dernière année, elle a dû remplacer trois adjointes administratives pour ce poste. Elles sont toutes parties en raison de la charge de travail lourde et des tâches qui sont ambiguës. Voilà peut-être une piste intéressante à explorer. Nous convenons de préparer une journée de consolidation basée sur la connaissance des autres et sur la clarification de rôles. Au départ, je rencontre chaque personne individuellement et précise avec chacune les zones d'inconfort et les points qu'elle souhaiterait voir améliorer.

Le déroulement

Matin

1. Présentation des objectifs de la rencontre
   - Déroulement et règles de fonctionnement
   - Partage des craintes et appréhensions
2. Présentation des types MBTI
   - Exercice sur les points forts de chaque membre de l'équipe et sur les points à améliorer
   - Exercice : Ce que j'apprécie le plus.... Ce que j'aime le moins...
3. Discussion sur les irritants et les situations à améliorer

Après-midi

1. Clarification des rôles et responsabilités
2. Ententes sur les codes de communication permis et sur un plan d'action personnel

La séance de consolidation a permis de faire émerger des frustrations qui avaient été jusqu'alors « étouffées ». Pas surprenant qu'aucune des adjointes nouvellement recrutées ne soit restée en poste plus de trois mois. Par exemple, lorsque Louise demandait qu'un travail soit fait, c'était toujours urgent parce qu'il s'agissait d'une exigence du président. Nous avons clarifié ce que pouvait être une urgence capitale. Ses collègues ont aidé Louise à se rendre compte que, à vouloir trop plaire, elle créait des situations de confusion et de frustration. Le plan d'action de Louise était le plus important à élaborer. Le premier élément de son plan : clarifier avec le président le rôle de ses collaboratrices et préciser leurs limites.

L'exercice sur les codes de communication a quant à lui permis d'éliminer un interdit. Il est désormais possible de dire à Louise : « Je suis occupée à terminer un autre travail. Cette nouvelle demande devra attendre. » Et dans ce cas, Louise accepte dorénavant de revenir auprès de son patron pour négocier de nouveaux délais.

Dénouer des impasses n'est pas toujours simple. Disons que Louise a fait preuve d'une grande ouverture d'esprit. Elle s'est rendu compte également que la frustration que son comportement engendrait chez les autres déteignait sur elle aussi. Elle a ainsi pris conscience du fait que travailler de cette manière conduisait à l'inefficacité. Je dois préciser qu'il a été difficile de parvenir à faire exprimer les frustrations entretenues à l'égard de Louise. Ses deux collaboratrices craignaient des représailles.

La consolidation de type intégration

Ce type de consolidation s'inscrit dans une approche proactive, telle que je l'ai décrite antérieurement, et vise à intégrer un ou plusieurs nouveaux membres à l'équipe. Cette intervention est pertinente lorsqu'on veut faire travailler en synergie des équipes de travail à la suite de :

- l'arrivée de nouvelles personnes au sein d'une équipe ;
- la fusion ou l'acquisition d'entreprises ;
- la fusion d'une ou de plusieurs succursales ou secteurs de l'entreprise ;
- l'intégration de cultures de travail différentes ;
- la mise en place d'équipes de projets.

La consolidation de type intégration est celle que je considère la plus facile à diriger. Elle peut faire appel à un mélange des deux types de consolidation présentés précédemment. Les équipes nouvellement constituées sont souvent confrontées à définir leurs objectifs et à établir de nouvelles relations. Une consolidation de type intégration est parfois plus facile à réaliser chez ces nouvelles équipes que dans une équipe formée depuis longtemps. Les forces qui s'affrontent (forces positives et forces réticentes au changement) issues des anciens et nouveaux membres de l'équipe donnent un élan qui facilite le processus d'intégration. Cette situation offre un grand nombre de leviers de changement.

Lorsqu'ils sont assez puissants, ils permettent à l'équipe d'accélérer son processus lui permettant d'utiliser au maximum son potentiel.

Par exemple, dans un processus d'intégration, j'ai fréquemment constaté les comportements suivants. Les nouveaux membres envisagent cet exercice avec une ouverture esprit. Enthousiasmés par le fait de se joindre à leur nouvelle équipe, ils apportent une vision différente et transmettent une nouvelle énergie à l'équipe. À l'opposé, certains membres faisant déjà partie de l'équipe peuvent devenir anxieux. L'arrivée de nouvelles personnes au sein de leur équipe leur fait craindre de perdre du pouvoir ou de l'influence.

L'interaction de ces membres donne lieu à une discussion où l'établissement de nouvelles règles constitue le noyau de départ à la formation de l'équipe. Une intervention réalisée au cours de l'intégration de nouveaux membres catalyse les forces et les énergies mobilisatrices. Lorsque ces énergies sont canalisées vers des objectifs communs, elles ont un effet positif et dynamique sur l'équipe et permettent de la cimenter.

CAS

L'intégration de nouvelles personnes permet le partage d'expertises complémentaires

Une professionnelle en RH fait appel à mon expertise pour aider une équipe de cadres à changer ses méthodes de travail. Cette équipe œuvre dans le domaine de la haute technologie.

Jusqu'à maintenant, les membres de l'équipe travaillent de manière individualiste. Chacun garde pour soi l'expertise qu'il détient. La résistance au changement est très grande. La compagnie doit se défendre contre la compétition devenue de plus en plus énergique. Une collaboration étroite entre ces gens est donc plus que nécessaire. À première vue, ça ne me semble pas évident.

Après avoir rencontré quelques personnes clés de l'équipe et son responsable, je constate que le climat de travail individualiste est en partie entretenu par le leadership du gestionnaire responsable. Les réunions d'équipe sont peu fréquentes, pour ne pas dire très rares. La communication et le partage d'informations entre les personnes qui ont à collaborer ensemble se limitent au strict minimum. Les gens connaissent à peine les rôles et responsabilités de leurs collègues de travail.

Décidément, me dis-je, tout est à faire dans cette équipe ! De plus, à une semaine près de l'intervention, on m'annonce que deux nouvelles recrues se sont jointes à l'équipe. Le défi est de taille, mais cette dernière information me donne un levier de changement inattendu qui, je crois, sera une bonne chose.

Nous commençons l'activité par un exercice sur les préférences psychologiques (MBTI). Ayant découvert au préalable que le gestionnaire responsable a un profil très technique et introverti, je vois bien qu'il n'a pas d'habiletés particulières en communication ! Il faudra miser sur les personnes qui possèdent ce genre d'aptitudes pour faire émerger le besoin de communiquer mieux et plus fréquemment et pour définir les mécanismes et réseaux de communication à mettre en place.

Après avoir pris connaissance des divers styles de communication de chacun, nous abordons les questions : « Comment souhaitons-nous communiquer ? À quelle fréquence devons-nous nous rencontrer ? Quels sont les buts de nos réunions ? Quels sujets devrions-nous traiter lors des réunions ? » Les deux nouveaux membres qui venaient de se joindre à cette équipe confirmaient le besoin de communiquer. L'un d'eux, Jean, qu'on enviait pour ses connaissances et sa vaste expérience des technologies, a contribué de manière significative à faire avancer l'équipe et à l'aider à préciser quelle était sa façon de travailler. Le fait d'exprimer sa perception de l'équipe et de son fonctionnement a permis de soulever de nombreuses résistances au changement qui empêchaient le groupe d'évoluer.

Je dois vous confier que, lors de ces discussions, le gestionnaire responsable prenait beaucoup de notes. Le tout s'est déroulé dans le respect le plus complet. L'équipe a été en mesure dès la deuxième journée d'établir des ententes claires sur le type de collaboration que chacun souhaitait obtenir de ses collègues. Le directeur avait à son tour établi une liste de choses à faire pour alimenter un processus de communication efficace. La situation avait drôlement évolué.

Les commentaires d'une personne qui vient juste de se joindre à une équipe sont souvent bien reçus par l'ensemble du groupe. Comme ce nouveau membre n'est pas encore « contaminé » par le climat, il est souvent perçu comme plus neutre. Voilà le genre de force positive auquel je faisais référence plus haut et qui facilite la mise en place d'un processus de consolidation.

La consolidation de type ludique ou récréatif

C'est la formule idéale pour les mordus des activités de plein air ou de compétition. En effet, on assiste à l'éclosion de firmes de consultation et de formation, d'animateurs, voire d'ex-entraîneurs sportifs qui se spécialisent dans ce type de consolidation.

Ce type d'intervention fait appel aux capacités physiques des gens, à leurs habiletés à travailler en équipe dans une mise en situation telle qu'un jeu ou un sport de compétition. Par exemple, une firme des Cantons-de-l'Est organise des activités de plein air en forêt. L'équipe est alors divisée en sous-groupes en compétition entre eux. D'autres équipes peuvent prendre part à des sorties à l'extérieur et choisir des sports offrant un certain degré d'émotion et de défi, tels l'escalade, le saut en parachute, les jeux de guerre avec des fusils à peinture. Un autre organisme en Ontario offre des activités de ce genre.

L'intervention faisant appel à des activités ludiques sollicite le côté affectif et émotif des gens en vue de créer un sentiment d'appartenance à l'équipe. Les membres de l'équipe établissent ainsi des liens différents de ceux qu'ils entretiennent au travail. Le jeu et le plaisir constituent des éléments importants qui renforcent la solidarité de l'équipe.

La majorité des gestionnaires des firmes qui offrent ce genre d'activité affirment que les capacités physiques ne sont pas un critère important. Cependant, dans ce type de consolidation, il faut s'assurer que les personnes sont aptes physiquement à participer pleinement aux activités choisies. Une personne qui est désavantagée sur le plan physique et qui est déçue de ses performances (en comparaison avec ses collègues) peut se mettre à penser qu'elle n'est pas à la hauteur des attentes de ses coéquipiers. Chez l'adulte, l'évaluation subjective de ses capacités peut conduire à une baisse de l'estime de soi. Cette situation aurait pour conséquence de limiter, d'une certaine manière, l'intégration d'une personne à l'équipe.

Mise en garde

Si vous décidez d'avoir recours à ce type d'activité, vérifiez les points suivants :

- Les objectifs doivent être clairement définis pour vous et pour votre équipe. Désirez-vous vous amuser et offrir un divertissement à vos équipes de travail ou désirez-vous une activité d'apprentissage ? Peut-être un mélange des deux ? Alors, le dosage des activités et des sessions en plénière est très important.
- Les règles de sécurité doivent être bien respectées. Faites-vous-les expliquer avant que l'entente ne soit conclue avec le fournisseur.
- Aucune personne ne doit être indisposée ou embarrassée par ce genre d'activités. Que ce soit à cause d'un handicap ou d'une limitation physique (surplus de poids, par exemple) ou parce que l'on ne se sent pas à l'aise de jouer le jeu.

La définition de la consolidation d'équipe, l'énumération de ses bénéfices ainsi que la description de certains types de consolidation démontrent que les organisations peuvent tirer de nombreux avantages de cet outil. Le prochain chapitre présente un exemple concret de ce type d'expérience, accompagné de mon cadre de référence (théorique).

CHAPITRE 3

Partez à la découverte d'une consolidation d'équipe avec cartes routières en main

Vous vous demandez comment se passe une expérience de consolidation ? Quelles sont les activités qui sont proposées ? Qu'est-ce que les participants sont appelés à vivre pendant ces journées ? Quel rôle le gestionnaire exerce-t-il dans ce contexte ? Voilà le genre de questions que les gestionnaires m'adressent lorsqu'ils me confient un mandat de ce type. Je n'ai pas toujours toutes les réponses exactes à leur fournir, mais disons que l'illustration d'un scénario semblable à leur contexte est souvent utile pour donner un portrait de ce qui va suivre.

C'est exactement sur cette piste que je veux vous conduire. Le présent chapitre illustre, à partir d'un cas, un déroulement possible sur une période de deux jours. **À noter que ce déroulement n'est pas une recette miracle à suivre telle quelle sans avoir au préalable effectué une analyse honnête des besoins de l'équipe.** Reproduire le déroulement d'une séance de consolidation sans l'adapter aux besoins des participants pourrait créer plus de tort que de bien à l'équipe.

Au cours de la présentation du cas, je vous invite à consulter certaines de mes **cartes routières**. Celles-ci sont des références conceptuelles ou des capsules théoriques qui me guident en cours de processus et qui peuvent servir à alimenter le groupe sur la dynamique qu'il suit dans le moment. J'espère que la présentation de ce cas et des raisons qui justifient son déroulement vous éclairera sur les objectifs que je poursuis dans une telle démarche et sur le choix des outils que je mets à la disposition de l'équipe.

Je crois fermement que si vous voulez vous initier à la conduite d'une consolidation d'équipe, vous devez posséder des connaissances et une compréhension profonde de la manière dont évoluent les équipes de travail. De plus, une participation antérieure à une expérience semblable constitue un bel atout. En tant qu'intervenant, vous devez posséder un cadre de référence que vous utiliserez comme une carte géographique pour guider vos équipes de travail tout au long de leurs parcours sinueux. Ainsi, reportez-vous à l'une ou l'autre des capsules théoriques proposées dans ce chapitre et consultez les ouvrages qui y sont mentionnés et qui sont présentés en fin de volume. Vous prendrez de l'assurance dans la gestion d'un tel processus et vous aiderez progressivement l'équipe à prendre en charge son propre cheminement, ce qui la fera progresser.

L'introduction de mon cadre de référence

Les capsules théoriques présentées tout au long de ce chapitre portent sur la théorie des petits groupes, sur la compréhension des personnalités et sur certains de mes outils de travail. La brève introduction qui suit permet de situer le lecteur quant à mon choix de ces outils. Ces derniers ont exercé et continuent d'exercer une influence sur ma pratique professionnelle en situation de groupe.

La théorie des petits groupes

Le modèle de référence de Yves Saint-Arnaud sur le fonctionnement de petits groupes constitue mon principal schème de référence pour guider des équipes dans leur progression. Dans son livre, *Les petits groupes: participation et communication*, l'auteur stipule que les groupes naissent lorsqu'il y a des interactions entre les membres et que ceux-ci sont à la recherche et la poursuite d'une cible commune. Le groupe déclenche alors trois types d'énergie : **production**, **solidarité** et **entretien**. Ces énergies forment ce que Saint-Arnaud appelle les trois processus clés d'un groupe :

1. Les processus de production

2. Les processus de solidarité

3. Les processus d'autorégulation

Ces processus, gérés de manière appropriée, contribuent à faire progresser le groupe dans trois phases distinctes d'évolution : la **naissance**, la **croissance** et la **maturité**.

Selon l'auteur, les équipes qui accèdent à un degré de maturité plus grand sont celles qui réussissent à atteindre un consensus à partir des trois processus. Elles sont capables d'effectuer les tâches suivantes :

1. Établir des cibles communes ou des buts communs (processus de production).

2. Créer des interactions positives entre les membres : communication et influence (processus de solidarité).

3. Régulariser leurs modes de fonctionnement : repérer et solutionner les problèmes qui nuisent au fonctionnement de l'équipe (processus d'autorégulation).

Enfin, toujours selon Saint-Arnaud, un groupe optimal est capable d'établir un consensus qui permet l'utilisation de l'ensemble des ressources (communication) et le partage du leadership (cercle d'interactions) de façon à atteindre ses cibles (production). Le groupe peut aussi faire appel à des fonctions d'entretien pour s'améliorer en général.

Les capsules théoriques accompagnant la présentation du cas de l'entreprise ACQUISITION démontrent comment sont abordés les trois processus clés d'un groupe en cours de consolidation d'équipe et sa progression vers un plus grand niveau de maturité.

La compréhension des personnalités

En ce qui a trait à la compréhension des personnalités, j'inclus, dans la plupart de mes interventions, l'indicateur de types psychologiques Myers-Briggs (MBTI). Cet outil indicateur est couramment utilisé dans la consolidation des équipes de travail. Il permet de comprendre rapidement la dynamique de l'équipe à partir des profils individuels et du profil de groupe qui s'en dégage.

À partir des différences et des types individuels, il nous est possible de comprendre le fonctionnement que privilégie une équipe. L'un des autres avantages du MBTI est qu'il offre aux membres de l'équipe la chance de se connaître sous un nouveau jour, et de trouver leurs affinités et leurs différences. Une meilleure compréhension de soi et des autres aide à établir un climat d'ouverture et de confiance, où les participants sont invités à reconnaître leurs forces et leurs points faibles.

Quant au profil d'équipe, il permet de nommer les réalités du groupe en fonction de sa dynamique préférée, ses forces, sa manière de résoudre les difficultés ainsi que ses zones aveugles.

Généralement, avant la séance de consolidation d'équipe, je présente au gestionnaire le profil de son équipe afin de le sensibiliser aux difficultés de cette dernière et aux conflits à prévenir entre certains de ses membres. Par ailleurs, nous analysons ensemble les particularités de son équipe quant à ses processus de production, de solidarité et d'entretien.

Par exemple, une équipe qui accorde de l'importance principalement à la réalisation de ses tâches fournit une grande énergie de production et est susceptible de présenter certaines faiblesses dans son processus de solidarité. Assoiffée de performance, l'équipe néglige peut-être l'importance de maintenir des relations harmonieuses et respectueuses entre ses membres. La consolidation d'équipe pourrait alors viser à soutenir l'équipe, pour qu'elle prenne conscience des mécanismes qui favorisent le processus de solidarité du groupe.

La clarification de la vision et des valeurs

Au cours de l'intervention, je m'assure que toute l'équipe participe à la définition de sa vision et de ses valeurs. La vision permet de définir la raison d'être de l'équipe. Elle guide l'équipe dans l'atteinte de ses buts à long terme. Les valeurs de l'équipe offrent un sens et un cadre de référence aux actions et aux décisions prises par l'équipe. Participer à la définition des valeurs permet à l'équipe, entre autres, de se définir en tant qu'entité et de se donner une couleur qui lui est propre.

L'élaboration d'un plan de match

L'élaboration d'un plan de match, vers la fin de la consolidation d'équipe, est indispensable à la conclusion du processus. Je facilite la formulation d'objectifs communs et j'incite les membres à préciser les moyens qu'ils prendront pour les atteindre. J'invite les membres de l'équipe à y inscrire des actions concrètes pour améliorer le fonctionnement de leur équipe. Aussi, je veille à ce qu'on prévoie des activités de reconnaissance ou des célébrations pour souligner les succès obtenus. Le plan de match est l'atterrissage contrôlé de cette belle aventure.

CAS

L'entreprise aux multiples acquisitions

Le contexte

La compagnie ACQUISITION a connu une croissance rapide au cours des dernières années par le biais de multiples acquisitions de services provenant de diverses entreprises. Maintenant entreprise publique, elle gère 10 divisions différentes mais complémentaires dans son secteur d'activité. La dernière acquisition est plus difficile à suivre. En effet, la compagnie ACQUISITION a acheté les actions d'une grande entreprise. Le directeur général garde les commandes. Il se retrouve dorénavant en position de force par rapport au marché américain, position enviable certes, mais la pression de réussite et les performances attendues (hausser les cotes à la Bourse) ajoutent un niveau de stress considérable comparativement à ce qu'il avait l'habitude de vivre lors des petites acquisitions précédentes. De plus, les derniers groupes à joindre l'entreprise ACQUISITION étaient dans le passé des concurrents féroces de celle-ci.

L'intégration et la fusion des ressources humaines est un élément capital dans la réussite de cette aventure. Le directeur général le sait bien, mais il ne voit pas comment y arriver. C'est à ce moment que je fais mon apparition.

L'équipe de gestion

En plus du directeur général, la nouvelle entreprise compte huit vice-présidents parmi son équipe de gestion : finances, marketing, ressources humaines, opérations (trois), technologie et recherche et développement. Quatre d'entre eux faisaient partie de l'équipe de gestion avant la dernière fusion.

Mon mandat

Mon premier mandat consiste à soutenir l'équipe des ressources humaines dans la mise en place de son plan d'intégration et à consolider l'équipe de gestion nouvellement formée. L'analyse des besoins me permet de déceler les problèmes suivants :

- Il existe des conflits avoués et non avoués entre certains membres de l'équipe de gestion.

- L'instabilité et l'insécurité caractérisent le climat de travail de l'équipe de gestion. Il faut agir rapidement afin d'éviter que l'insécurité contamine les groupes d'employés. Ça peut devenir très inquiétant de partir à l'aventure en bateau avec un capitaine qui ne sait pas où il s'en va. Dans un contexte de fusion, les employés ont besoin d'être rassurés rapidement sur ce qui va suivre.

- La crédibilité du directeur général est à rebâtir. Il est perçu comme mi-sauveur – pour ceux ou celles qui sont en faveur du changement et de la croissance – et mi-traître – pour ceux ou celles qui regrettent le caractère PME de l'entreprise précédente avant sa dernière fusion.

Une consolidation de 2 jours

La consolidation d'équipe proposée est une combinaison des trois types de consolidation présentés au chapitre 2 : opérationnel, relationnel et intégration. Tout un défi !

Nous convenons d'un déroulement qui fait d'abord intervenir l'aspect relationnel et l'aspect intégration. Quelque 40 % du temps sera consacré à accélérer la connaissance de soi et des autres en vue de créer une synergie d'équipe. Le reste du temps sera consacré au volet opérationnel. En effet, la nécessité d'établir une vision de la nouvelle entreprise s'impose. Avec des nouveaux joueurs en poste, il faut redéfinir les rôles et responsabilités de chacune des vice-présidences.

Un collègue participe au processus avec moi. Pendant que j'anime les séances des deux journées, mon collègue Pierre a pour rôle d'observer la dynamique du groupe (langage verbal et non verbal des gens) et d'intervenir lorsque le groupe dévie de sa trajectoire. Il est également responsable de maintenir un climat de travail chaleureux et de pourvoir aux besoins des gens (coordination des repas, pauses) ainsi que de s'entretenir individuellement avec les gens si des conflits éclatent.

Voici les activités et le déroulement proposés dans ce cadre.

Le déroulement

Acquisition

Jour 1

Matin

1. Ouverture de la rencontre
    - Ententes et règles de fonctionnement
    - Exercice : ressources, attentes et préoccupations
    - Partage en plénière
2. Analogie :
    - Exercice de l'analogie
3. MBTI : le profil de personnalité
    - Profil de chaque personne
    - Constats des différences individuelles et des points de convergences
    - Profil de l'équipe
    - Forces et faiblesses
    - Zones de complémentarité et de conflit
    - Réactions en situation de stress

Après-midi

4. La vision de l'entreprise acquisition
    - Définir la vision sur les clients, les employés, le marché, la technologie, les finances, le territoire géographique, les produits et services
    - Consensus de groupe sur les visions

Soir

Préparation de la mission et des enjeux par la vice-présidence

- Objectifs à atteindre

Jour 2

Matin

Ouverture de la journée

5. Mise en commun de chaque vice-présidence et consensus
    - Partage et discussion sur la vision et les enjeux de chaque vice-présidence à partir des visions déterminées la veille
    - Clarification des attentes de part et d'autre
    - Détermination des besoins émergents
    - Plénière et constats

Après-midi

6. Clarification des rôles et responsabilités
    - Exercice : Les 5 responsabilités clés
    - Précision des rôles et responsabilités de chaque membre de l'équipe de gestion
7. Plan de match
    - Établissement d'un plan d'action et des stratégies à mettre en place
    - Détermination d'un échéancier
    - Clarification des modes de fonctionnement en réunion

Conclusion de la session

L'explication des activités d'une consolidation

À partir des activités 1 à 7 de notre cas, voici les explications des activités normalement effectuées durant une session de consolidation. Ces explications sont accompagnées de « cartes routières » qui vous guideront.

1. Ouverture de la rencontre

L'ouverture est importante en début de consolidation. Elle donne le ton, elle prépare les participants à ce qui va se produire. Je rassure les gens en donnant quelques règles de participation qui garantissent le respect, l'ouverture d'esprit et l'honnêteté. Je les invite à leur tour à exprimer toutes craintes, attentes et préoccupations qui pourraient nuire au déroulement des séances. Ensemble, nous convenons d'un code à suivre pendant ces deux journées.

Cible commune et processus de production

Vous croyez que le premier exercice est bien anodin. Détrompez-vous : en réalité il permet de faire participer les membres de l'équipe à la définition d'une cible commune. La notion de cible commune est présentée dans le volume de Saint-Arnaud. Un des processus importants dans le fonctionnement des petits groupes est son processus de production. Celui-ci est lié à l'énergie des membres du groupe, qui cherchent essentiellement à définir, à clarifier et à atteindre une cible commune.

La définition de la cible évolue continuellement à l'occasion d'une réunion de groupe. Par exemple, résoudre un problème opérationnel concernant des tâches peut constituer une cible commune pour tous les membres. Dès que le problème est résolu, une autre cible peut être définie. Au sein d'un groupe de soutien, assurer le bien-être des membres peut devenir la cible à atteindre.

Ce qu'on entend par **cible** diffère des **buts communs** d'une équipe. Une cible évolue continuellement alors qu'un but, à lui seul, peut mobiliser une équipe à plus ou moins long terme. En d'autres termes, l'énergie de production est mise à profit lorsque les membres d'un groupe participent à la définition et à l'atteinte d'une cible commune. Comme le souligne Saint-Arnaud, l'énergie de production est à la fois source et effet de la participation.

■ ■ ■ ■ ■ ■ ■ ■ ■ ■ ■ ■ ■ ■

L'analyse des besoins associée à une observation effectuée lors d'une réunion de l'équipe de gestion nous a permis de déceler diverses difficultés qui existaient au sein de l'équipe quant à son processus de production. Nous vous les présentons. Elles feront partie de cibles à atteindre pour l'ensemble du processus de consolidation.

Exemples d'obstacles à la production chez ACQUISITION

- La cible n'est pas perçue de la même façon auprès de l'ensemble des membres.
- Les objectifs de l'équipe ne sont pas connus de tous : soit qu'ils n'ont pas été communiqués clairement aux membres, soit qu'ils ne sont pas compris de la même manière.
- Certains membres ont des objectifs personnels qui nuisent aux objectifs de l'équipe. L'énergie résiduelle (non disponible au groupe) est plus grande que l'énergie disponible au groupe. Cela crée un climat d'inertie au sein de l'équipe.

- Les membres de l'équipe ne se sentent pas intéressés par les objectifs d'équipe. Le leadership trop directif de Serge entraîne chez ses collaborateurs deux réactions : baisse d'engagement et absence d'initiatives.

- Les tâches ne sont pas réparties de manière équitable. Étant donné la nouvelle structure, la clarification de rôles (activité 6) est nécessaire. Au cours de l'exercice, il faudra veiller à ce que les rôles soient répartis de manière équitable.

2. Exercice de l'analogie

Cet exercice permet de briser la glace, d'amener les gens à exprimer, à travers leur perception de leur organisation, de leurs collègues et de leurs rôles, la dimension affective sous-jacente à leur dynamique d'équipe. Des exemples d'analogies utilisées sont le cirque, le train, le zoo ou toute autre analogie qui inspire les participants. J'invite alors chacun des membres à choisir une analogie avec laquelle il est à l'aise et de décrire sa perception de l'organisation.

Par exemple, Paul a choisi le zoo. Il se perçoit comme le gardien des lieux. Il doit assurer la sécurité de ses clients visiteurs. Ses collègues sont caractérisés par les animaux. Serge, le directeur général, est le lion parce que personne n'ose le défier. Il est le roi des animaux. Claire représente l'hyène, car elle est rusée et trouve toujours le moyen de tirer profit de situations malencontreuses. Édouard a la force et la fougue du cheval.

Vous avez peut-être remarqué les messages implicites derrière cet exemple d'analogie. Entre autres, le fait que Serge (directeur général) soit associé au lion nous donne quelques indices sur la dynamique de l'équipe. En effet, Serge est assez autoritaire et directif dans son approche. Lorsque Paul a verbalisé son analogie, les participants se sont mis à rire et à surveiller la réaction de Serge. Serge souriait : il se reconnaissait dans ce rôle. J'ai une première indication de ce qui sera à travailler sur le plan relationnel entre Paul et Serge. Et l'exercice se poursuit à tour de rôle, jusqu'à ce que chacun ait exprimé sa perception à l'aide de l'analogie de son choix.

Je considère cet exercice d'une richesse importante. Les craintes non exprimées à l'exercice précédent ressortent souvent dans celui-ci. L'exemple du lion n'est qu'un bref aperçu des non-dits qui peuvent s'exprimer. De cette manière, tout est en place pour commencer à aborder les aspects relationnels à améliorer.

D'autant plus que les perceptions différentes amènent à recadrer d'une certaine manière le contexte.

L'ouverture d'esprit est primordiale pour que l'exercice soit révélateur et que personne ne se censure. Très souvent, l'humour vient également alléger le climat de tension qui existe toujours au départ d'une consolidation. C'est un exercice d'échauffement à faire absolument lorsqu'on le maîtrise bien.

Les fonctions de clarification

Les fonctions de clarification sont utiles lorsque l'on désire améliorer la communication du groupe sur le plan de son contenu rationnel ou affectif. Elles sont présentées dans le volume de Saint-Arnaud.

Dans l'exercice de l'analogie, j'aime faire définir, reformuler, résumer ou expliciter les images évoquées par les participants. Cela permet de toucher à la dimension affective.

Fonctions de clarification	Définition
Définition de termes	Expliquer les nouveaux termes.
Reformulation	Reformuler ce qu'un membre vient de dire pour valider notre compréhension.
Résumé-synthèse	Résumer une partie de l'information ou des éléments discutés en groupe pour faire progresser le groupe dans ses discussions.
Explicitation	Rendre explicite ce qui est implicite. Par exemple, nommer les sous-entendus.

■ ■ ■ ■ ■ ■ ■ ■ ■ ■ ■ ■ ■ ■

3. MBTI profil de personnalité

Cette portion fait appel à l'utilisation de l'indicateur de types Myers-Briggs (MBTI). Cet outil permet de déterminer les préférences psychologiques des personnes sur quatre échelles. Si vous désirez découvrir vos préférences, un court questionnaire pour chacune des échelles est présenté en annexe.

J'aime faire appel à cet outil, car il situe bien les différences individuelles et favorise les interactions entre les membres. Enfin, il est facile à utiliser pour les participants (attention : il faut être certifié pour faire passer ce test). Je me sers du profil de chacun des membres du groupe ACQUISITION pour dresser le profil d'équipe. Je leur propose des activités qui permettront d'explorer leurs différences et de faire tomber ainsi certains de leurs préjugés.

Par exemple, Serge est INTJ. C'est un entrepreneur visionnaire, qui possède une vision claire mais qui peut à l'occasion ne pas la communiquer. Il est axé sur les résultats et sa prise de décision est logique. Il aime faire preuve d'ingéniosité pour résoudre les problèmes et il est à l'affût de nouveauté. Un des vice-présidents, Paul (ESTJ), est complètement à l'opposé de Serge. Il est extraverti, possède une approche concrète du travail. Paul préfère un environnement de travail structuré et organisé où les imprévus sont rares.

La connaissance des types nous apprend que Serge et Paul, s'ils ne parviennent pas à accepter leurs différences, risquent plus de se heurter à ces différences que de les utiliser de manière complémentaire. C'est le problème entre les deux personnages. Paul est constamment irrité par les interruptions fréquentes de son patron, Serge. Si bien qu'il devient inefficace dans son travail lorsque Serge lui ordonne de traiter des dossiers « urgents ». Paul, qui aime planifier son travail, n'aime pas être bousculé. Dans ce contexte, des tensions émergent entre eux.

À l'analyse du profil d'équipe, je constate qu'une des zones probables de conflit est l'incompréhension ou l'intolérance des introvertis par rapport aux extravertis. Au sein de cette équipe de gestion, la dynamique qui se joue est la suivante. Les introvertis sont appréciés du directeur général parce qu'ils correspondent à sa préférence. J'explique alors les avantages à avoir des personnes extraverties au sein de l'équipe de gestion.

Dans un premier temps, je suggère aux participants d'exprimer ce qu'ils apprécient des gens qui ont la caractéristique opposée à la leur et ce qu'ils aimeraient connaître chez les gens qui possèdent cette caractéristique. De cette manière, les préjugés tombent progressivement et on est en mesure d'apprécier les différences. Dans un deuxième temps, nous déterminons à quelles occasions chacune des caractéristiques peut être utile à l'équipe. Celle-ci indique que les introvertis prennent le temps de réfléchir et peuvent empêcher les extravertis de se précipiter trop rapidement dans l'action. Les introvertis admettent toutefois que, parfois, ils retardent certaines prises de décisions parce qu'ils ont besoin d'y réfléchir plus en profondeur. Les personnes extraverties s'avèrent dans ces circonstances des éléments déclencheurs positifs.

Caractéristiques : extraversion et introversion[1]

Les introvertis :

- ont besoin de temps et de calme pour réfléchir ;
- aiment planifier des stratégies ;
- préfèrent travailler dans un environnement qui empêche les interruptions ;
- préfèrent réfléchir d'abord et agir après.

Les extravertis :

- recherchent la présence des autres ;
- clarifient leurs pensées en en parlant tout haut ;
- sont enthousiastes et portés vers l'action ;
- préfèrent agir et réfléchir après (parfois).

■ ■ ■ ■ ■ ■ ■ ■ ■ ■ ■ ■ ■ ■

Je propose également que l'on s'arrête pour approfondir les diverses réactions des personnes en situation de stress. Le directeur général de l'entreprise ACQUISITION est un visionnaire et il analyse les choses dans leur ensemble plutôt que dans leurs détails (type INTJ) ; mais

[1] Voir en annexe pour des précisions sur les autres échelles.

lorsqu'il tombe dans sa fonction inférieure – Sensation –, il devient très pointilleux sur les détails. Cela signifie qu'en situation de stress, il aura tendance à être obsédé par des détails et des faits sans importance. Voilà une information intéressante à connaître si l'on veut savoir comment transiger avec lui dans ces moments. Paul (type ESTJ) est un bon analyste, logique. Son mode de perception privilégié est basé sur les faits, les données et les informations dont il dispose. Mais lorsqu'il est exposé à des sources de stress continues, Paul peut devenir hypersensible ou réagir de manière émotive.

Les fonctions inférieures

Dans le MBTI, les fonctions inférieures se manifestent lorsque la personne subit un stress, est malade ou a le sentiment de perdre le contrôle. Comme le contexte de l'entreprise ACQUISITION est assez bousculant et que les enjeux en cours sont capitaux, je crois nécessaire de faire le point sur les réactions des personnes en situation de stress selon leur type respectif. Les fonctions inférieures sont présentées dans le manuel *Introduction aux types psychologiques dans l'organisation*.

■ ■ ■ ■ ■ ■ ■ ■ ■ ■ ■ ■ ■ ■

Lorsque je présente des activités liées au MBTI et que les participants explorent différentes façons de communiquer et d'interagir entre eux, je favorise ainsi le processus de solidarité. L'équipe de l'entreprise ACQUISITION vivait diverses difficultés quant à son processus de solidarité. Voici les *obstacles au processus de solidarité chez cette entreprise* :

- Certains membres du groupe ne s'adressent pas la parole.
- Les membres ont de la difficulté à se parler ouvertement.
- Les membres ne s'écoutent pas[2].
- La contribution de chacun quant aux objectifs communs n'est pas jugée nécessaire.
- L'information n'est pas partagée par tous. On cache certaines informations aux autres.
- Les membres ont de la difficulté à se respecter et la confiance est difficile à établir.
- Le groupe éprouve des difficultés à se déplacer sur ses axes de participation : centre, émetteur, récepteur, satellite et absent. Par conséquent, l'équipe ne parvient pas à favoriser un cercle émetteur-récepteur qui contribue efficacement à son processus de solidarité. Par exemple, Claire parle beaucoup. Elle mobilise trop souvent le temps accordé à la discussion. Les membres de l'équipe ne parviennent pas à exprimer comment ils se sentent dans cette situation. Cela nuit au processus de solidarité.

[2] C'est à mon avis l'obstacle majeur de plusieurs équipes.

Le processus de solidarité

Le processus de solidarité est enclenché lorsque les membres du groupe commencent à interagir et à communiquer entre eux et qu'ils mettent à la disposition du groupe les ressources de chacun.

L'énergie de la solidarité est à la fois une source et un effet de la communication. Elle provient des interactions entre les membres de l'équipe lorsqu'ils cherchent à atteindre une cible commune. La communication permet l'établissement de relations entre les membres. Il s'exerce alors entre eux des jeux d'influence.

■ ■ ■ ■ ■ ■ ■ ■ ■ ■ ■ ■ ■ ■ ■

Place aux aspects opérationnels

4. Vision, enjeux de l'entreprise ACQUISITION

Comme je l'ai déjà précisé, les enjeux de l'année à venir chez ACQUISITION sont capitaux. Afin de bâtir une synergie d'équipe qui mènera à une orientation commune entre les vice-présidences, la première activité vise à définir la vision stratégique de l'organisation.

Chaque vice-président va ensuite refaire l'exercice pour son service respectif en élaborant des objectifs annuels qui permettra à ce service d'atteindre sa vision.

5. Préparation et mise en commun des enjeux par la vice-présidence

Le retour et la mise en commun permettent d'obtenir un portrait global de l'organisation sur le plan stratégique. Au point de vue du processus, ce sera l'activité la plus évocatrice pour amener les membres de l'équipe à prendre conscience du processus de prise de décision suivi tout en évoquant les difficultés éprouvées.

Définition du processus de prise de décision

La prise de décision par consensus est considérée comme l'un des indices de maturité d'un groupe. Un consensus signifie que tout le monde comprend la décision et peut expliquer pourquoi elle constitue la meilleure option. Cela implique que tout le monde **accepte la décision**.

Il peut être difficile d'en arriver à une prise de décision par consensus chez les équipes qui n'ont pas l'habitude de travailler ensemble. Toutefois, le groupe dispose de divers moyens pour faciliter son processus décisionnel. Entres autres, les membres de l'équipe peuvent se mettre d'accord sur les sujets qui feront l'objet d'une décision commune au sein de leur équipe. Trois catégories de sujets peuvent être suggérés : informatif, consultatif, décisionnel.

■ ■ ■ ■ ■ ■ ■ ■ ■ ■ ■ ■ ■ ■

L'entreprise ACQUISITION convient des sujets qui seront dorénavant d'ordre consultatif, informatif et décisionnel. L'équipe entière détermine que toutes les réunions doivent dorénavant être préparées à l'avance, c'est-à-dire que chacun doit avoir lu les documents relatifs au sujet abordé. L'équipe statue que les réunions d'équipe sont plus souvent consultatives. Elle reconnaît ne pas être encore parvenue à un stade de maturité pour être en mesure de prendre des décisions par consensus. Serge propose de poursuivre seul avec le gestionnaire concerné, après avoir consulté l'équipe en réunion, toute discussion nécessitant une prise de décision pour l'organisation.

C'est encore assez directif comme mode de fonctionnement, mais disons que cette façon de faire peut s'avérer une étape de transition intéressante pour cette équipe. Nous n'intervenons pas maintenant sur ce point sinon pour demander aux membres de l'équipe s'ils sont à l'aise avec cette façon de faire. Tous acquiescent, bien sûr !

Méthode de résolution de problèmes

D'autres techniques de résolutions de problèmes en créativité peuvent venir en aide aux équipes qui éprouvent des difficultés à établir un processus de prise de décision. Ces techniques offrent l'avantage de mener à l'obtention d'un consensus rapide sans avoir à débattre des sujets pendant de longues heures.

À titre d'exemple, la méthode des six chapeaux de Bono s'est avérée efficace pour de nombreuses équipes. Cette méthode fait appel à la pensée latérale. Les membres sont invités à se prononcer sur un sujet en adoptant un chapeau à la fois. Par exemple, le chapeau rouge correspond à la dimension émotive : j'aime l'idée ou je ne l'aime pas. Le jaune invite les participants à se prononcer sur les avantages d'une idée ou d'une solution. La première fois que le groupe opte pour cette méthode des six chapeaux, un animateur externe doit être présent pour mener à bien cette activité.

6. Clarification des rôles et des responsabilités

Cet exercice avait été préparé avant la consolidation d'équipe. Les membres de l'équipe étaient conviés à préparer un court document décrivant les cinq responsabilités clés de leur poste. En cours de consolidation, une discussion porte sur les rôles et responsabilités clés de chacun. Le directeur général défie chacun de ses gestionnaires en présentant sa perception du poste. Ensemble, l'équipe convient ensuite d'une description des cinq rôles clés pour chacun des services. La mise en commun permet de veiller à ce que les tâches ne soient pas dédoublées et que chacun soit maître dans son « carré de sable » respectif.

L'exercice se passe assez bien dans l'ensemble sauf pour deux services : Recherche et développement et Technologie. Pas surprenant, puisque l'organisation entière doit se redéfinir à la suite de la fusion et que ce sont ces deux services qui sont les plus touchés. Serge confronte Claire (Recherche et développement) et Alain (Technologie). Il y a quelques éclats. Malheureusement, un conflit à la fin de la deuxième journée (ce qui arrive assez fréquemment) n'est pas le moment idéal pour s'ouvrir sur toute la dimension affective. Nous sommes conscients de cette réalité. Toutefois, si on l'évite ou qu'on l'échappe, la situation empire. Les gens croiront, à tort, que nous protégeons le gestionnaire responsable. Nous devons réagir.

Pierre, mon collaborateur, se rend compte que Claire présente des réactions non verbales et il l'invite à exprimer verbalement son désaccord. Elle le nie. Après quelques tentatives sans issues, nous convenons d'aborder cet incident à l'extérieur, soit après la séance de consolidation. Nous proposons alors à Serge de rencontrer individuellement Claire, dans un climat dépourvu de tension, et de rétablir la communication avec elle. C'est ce qu'il a fait dans les trois jours suivants.

Les fonctions de facilitation utilisées par l'intervenant

Fonctions de facilitation

Les fonctions de facilitation sont utiles pour l'intervenant dans ce genre de contexte parce qu'elles aident à créer un climat favorable à l'évolution du groupe en donnant plus d'importance à la dimension socio-émotive du groupe. Si elles sont mises de côté, les émotions peuvent devenir une source d'ambiguïtés et nuire au développement d'un groupe.

Fonctions de facilitation	**Définition**
Extérioriser	Inviter le groupe ou les membres à extérioriser les émotions qui entravent le fonctionnement. Les émotions négatives sont plus douloureuses lorsque le groupe les retient.
Focaliser	Nommer un sentiment ou un malaise diffus. Ce terme vient de « focusing », utilisé par Gendlin. Il consiste à se centrer sur les sentiments et les émotions ressenties et à les rendre accessibles à la conscience.
Faire diversion	Faire appel à divers moyens pour que le groupe évite un affrontement qui ne pourrait être réglé. Exemples : faire appel au sens de l'humour, prendre une pause,

	ajourner la réunion, proposer un moment de détente.
Objectivation	Objectiver signifie enlever la charge émotive d'une intervention en lui donnant un sens plus rationnel, plus objectif. Par exemple : « Paul, je trouve ton idée absurde ! » L'animateur reprend ce commentaire en le reformulant ainsi : « Pierre, est-ce qu'on peut retenir le fait que tu n'es pas d'accord avec l'idée de Paul ? »

Processus d'entretien et conflits

Les participants peuvent avoir de la difficulté à oser communiquer leurs attentes, leurs frustrations et leurs joies. Bien que des situations de ce genre soient menaçantes, elles permettent au groupe de s'attarder au processus d'entretien. En repérant et en soulevant les obstacles qui entravent le processus de production et de solidarité, le groupe produit de l'énergie d'entretien. Cette dernière est nécessaire au maintien de l'harmonie au sein du groupe.

Un groupe qui a atteint une réelle cohésion est plus habile à résoudre des conflits de nature socio-émotive, qui représentent souvent des obstacles importants aux processus primaires et secondaires que sont la production, la solidarité et l'autorégulation. Ces groupes sont plus confiants en leurs capacités à affronter de nouveau des crises, car le dénouement qu'ils ont connu à l'occasion d'une consolidation renforce leur sentiment d'appartenance et contribue à la pérennité de l'équipe.

Le conflit n'est pas la seule manière d'aborder le processus d'entretien. L'activité n° 7, Plan de match, est une autre bonne façon de faire évoluer le processus d'entretien d'une équipe. En effet, le plan d'action aide cette dernière à formuler clairement ses modes de fonctionnement et à établir des codes de communication intelligibles.

■ ■ ■ ■ ■ ■ ■ ■ ■ ■ ■ ■ ■ ■

7. Plan de match

La fin de la deuxième journée approche. Cette partie de la consolidation est la plus difficile à animer. Les participants sont fatigués. Ils ont été sollicités intellectuellement et affectivement au cours de ces deux journées. On leur demande à ce stade-ci de faire un dernier effort rationnel en précisant dans un plan les actions prioritaires, les échéances et les personnes responsables de ces actions.

J'invite alors le groupe à nommer **les cinq actions** (maximum) à mettre en place au cours des trois prochains mois et à établir lesquelles auront le plus d'effet sur l'équipe. Parmi ces actions, on devrait retrouver celles qui visent les trois processus auxquels un groupe est soumis : production, solidarité et entretien.

Exemples d'obstacles à l'entretien chez ACQUISITION

- Les réunions ne sont pas planifiées et on les tient sans suivre un mode de fonctionnement précis.
- Les membres n'ont pas encore été en mesure de verbaliser leurs attentes vis-à-vis du groupe.
- Personne n'est désigné pour animer les réunions.
- Il n'y a pas de compte rendu des réunions.

- Les malaises et les émotions du groupe ne sont pas extériorisés ; ils gênent le fonctionnement du groupe.
- Les conflits sont étouffés.
- Le groupe ne s'est jamais questionné sur ses modes de fonctionnement.

Devant ces difficultés, l'équipe ACQUISITION convient de retenir à son plan de match les actions prioritaires suivantes :

1. Les réunions seront tenues de manière régulière, tous les vendredis matin (production).
2. L'animation des réunions se fera à tour de rôle (entretien).
3. À la fin de chaque réunion, on prévoit 10 minutes pour recueillir les commentaires des personnes sur leur appréciation du déroulement de la réunion et les sujets abordés (entretien).
4. Les membres de l'équipe vont dîner ensemble et discuter amicalement une fois par mois (solidarité).
5. Chaque personne est tenue d'exprimer à la personne concernée son désaccord ou toute frustration avant d'en parler à une tierce personne (solidarité).

Toutes les équipes de travail font à un moment ou l'autre face à certaines difficultés qui empêchent les processus primaires et secondaires de s'établir. Dans un processus de consolidation d'équipe, l'intervenant agit à trois niveaux. D'abord, il définit les obstacles au rendement efficace, puis il en fait part à l'équipe. Enfin, il tente de transmettre à celle-ci les habiletés liées à la fonction d'entretien, de sorte qu'elle puisse évoluer de manière autonome dans l'avenir. C'est ce que le dernier exercice tente de traduire.

Séance d'autoévaluation

Une autre façon de favoriser la prise en charge, par le groupe, de son processus d'entretien ou autorégulation est de l'inviter à inclure régulièrement des séances d'autoévaluation portant sur leur fonctionnement en général.

La phase postconsolidation, présentée au chapitre 4, « la consolidation d'équipe de A à Z », est une période propice pour favoriser cette prise de conscience et pour inciter le groupe à en faire une pratique courante. Ces séances peuvent se tenir à une fréquence déterminée (tous les trois mois, par exemple). Le groupe peut aussi se réserver une période de 10 à 15 minutes à la fin de chacune de ses réunions.

Dans ce dernier cas, chaque membre est alors invité à se prononcer sur son degré d'appréciation de la rencontre et sur les améliorations qui pourraient être apportées dans les prochaines réunions.

■ ■ ■ ■ ■ ■ ■ ■ ■ ■ ■ ■ ■ ■

En résumé

En résumé, mon approche est très souple. Elle fait appel aux diverses théories sur les groupes et leur dynamique. Elle se base aussi sur la compréhension des personnes et de leurs réactions personnelles et émotives à l'égard du changement.

Comme le facteur humain occasionne constamment des changements, les équipes évoluent sans cesse. Ce que l'on observe une semaine peut changer beaucoup dans les semaines suivantes. Les modèles servent à nous guider, mais ils ne doivent en aucun temps limiter les interventions menées dans les équipes de travail.

Ma pratique m'a enseigné jusqu'ici certains principes clés que j'applique et qui m'offrent l'occasion de découvrir toute la richesse d'une équipe.

5 principes clés pour intervenir au sein des équipes de travail

1. Il est indispensable d'effectuer un diagnostic préliminaire avant d'intervenir auprès d'une équipe de travail.
2. Chaque équipe est différente et nécessite donc une intervention personnalisée.
3. Le leader hiérarchique donne le ton de l'intervention à son équipe. C'est lui qui influe le plus sur la dynamique de l'équipe par son tempérament, ses préférences et ses fonctions dominantes.
4. Pour qu'une équipe évolue, elle doit intégrer les trois processus primaire et secondaire : production, solidarité et autorégulation. Il faut également qu'elle exploite son énergie d'entretien pour optimiser son fonctionnement.
5. Les émotions et l'incapacité à les gérer[3] constituent un frein à l'évolution d'une équipe. Pour aider une équipe à améliorer ses performances, il faut réussir à soulever le frein émotionnel sous-jacent. Le consultant soutient ainsi les membres de l'équipe, qui acquièrent des habiletés en communication, qui développent écoute active et empathie, qui apprennent à utiliser le *feed-back* et à se sensibiliser aux pièges de la perception.

[3] Ce thème est brièvement abordé dans le chapitre 5.

Conclusion

Les organisations qui veulent mettre en place rapidement des équipes performantes sans leur laisser le temps de clarifier leur mode de fonctionnement font erreur. L'intervenant interne ou externe contribue à l'efficacité des équipes en les aidant à construire sur des bases solides partagées par tous. Par conséquent, son intervention élimine les périodes de tâtonnements et amène les équipes à vivre plus rapidement des succès tangibles.

C'est exactement ce que mon collègue et moi avons fait chez ACQUISITION lors de la première séance de consolidation d'équipe. Ensuite, nous sommes intervenus de manière ponctuelle dans le cadre de réunions spécifiques et au cours des deux suivis postconsolidation. Nous avons outillé cette équipe en la sensibilisant aux fonctions d'organisation lors de la gestion de ses réunions et à l'importance d'intégrer les trois processus de base d'un groupe. L'équipe de gestion a progressé de manière remarquable.

Fonctions d'organisation pour les réunions

Les fonctions d'organisation ont pour but de régulariser la participation des membres en vue d'un rendement optimal. Ces fonctions sont souvent confiées à un animateur externe ou exercées à tour de rôle par les membres de l'équipe.

Fonctions d'organisation	Définition
Accorder la parole	Accorder le droit de parole à un membre qui désire parler.
Susciter la participation	Encourager la participation de membres qui ne s'expriment pas souvent ou qui ont plus de difficulté à s'exprimer.
Refréner la participation	Contrôler la participation des membres qui ont tendance à monopoliser les discussions. Cette fonction nécessite beaucoup de tact, sinon elle risque de créer des conflits.
Sensibilisation au temps	Sensibiliser les membres au temps qu'ils désirent consacrer à la discussion de certains sujets ou à la répartition du temps qu'ils ont accordé à leurs discussions.

Plus le groupe évolue et intègre ces trois processus de base, plus il atteint de la maturité. Concrètement, cela signifie que le groupe produit de l'énergie en quantité suffisante pour atteindre sa cible et entretenir des liens de solidarité. Il est également capable de réagir au fur et à mesure que des difficultés se présentent et il trouve des solutions à celles-ci. Enfin, le groupe a recours à l'ensemble de ses ressources, et le leadership est partagé. Il est aussi capable de faire appel à des fonctions d'entretien pour une amélioration générale.

■ ■ ■ ■ ■ ■ ■ ■ ■ ■ ■ ■ ■ ■

Chapitre 4

La consolidation d'équipe de A à Z

Gérer un processus de consolidation d'équipe exige beaucoup de souplesse et de flexibilité. Lorsqu'on entreprend une telle activité, on sait où le processus commence. Cependant, on ne sait jamais vraiment comment celui-ci se terminera et quels résultats en découleront concrètement. L'ouverture d'esprit, la disponibilité, le degré de maturité du groupe et le désir de chacun de résoudre les difficultés influent grandement sur la qualité des résultats. En ce sens, l'intervenant joue le rôle d'un catalyseur. Il met à la disposition de l'équipe des outils et un processus. D'une certaine manière, c'est l'équipe qui détermine jusqu'où elle veut aller, à quel point elle est prête à s'investir.

Dans ce contexte, nous devons envisager des scénarios gagnants et les présenter au gestionnaire responsable comme des hypothèses de développement et d'évolution. Informer le client en lui expliquant les diverses étapes à franchir représente un excellent moyen de le rassurer au sujet du processus et de déterminer les moyens qui permettent d'atteindre les résultats escomptés.

QUELQUES EXEMPLES DE SCÉNARIOS GAGNANTS

Demander au gestionnaire de donner le ton au tout début de la première journée et de se montrer ouvert. Le gestionnaire peut commencer la session en disant ceci à son équipe : « Je sais que je n'ai pas toujours su écouter vos commentaires et suggestions dans le passé. Je tiens sincèrement à recevoir un *feedback* authentique de chacun de vous au cours de la session en vue de m'améliorer et d'améliorer mon coaching. »

En présence de conflit, la démarche de résolution de conflits permet de faire évoluer la situation et de donner une chance aux personnes de se faire entendre. Nier un conflit est souvent néfaste et entraîne une perte d'énergie incroyable. Est-ce ce que vous désirez ?

La consolidation d'équipe, c'est comme recevoir des invités à dîner. Il faut savoir mettre la table. J'ouvre souvent la session en disant : « L'ouverture d'esprit, l'absence de jugement sont des conditions essentielles à la réussite du processus de consolidation. En tant qu'intervenante, j'ai le devoir d'intervenir si un participant ne respecte pas ces conditions. Mon rôle consiste à mettre à votre disposition des outils, des exercices et à faciliter le processus. Votre rôle consiste à participer le plus honnêtement possible et à y mettre votre bonne volonté. Entente conclue ? Nous sommes donc sur la bonne voie ! »

Comme vous le voyez. la phase préparatoire est cruciale. Elle permet à tous de franchir **ensemble** les étapes de la consolidation avec assurance et confiance. Quant aux autres étapes, elles sont tout aussi importantes, car elles assurent la continuité de ce qui a été semé au début du processus.

Les étapes d'un processus de consolidation

	QUOI?	INTENTIONS OU RÉSULTATS VISÉS
PHASE PRÉPARATOIRE		
1. RENCONTRE AVEC LE GESTIONNAIRE RESPONSABLE	Exploration de la demande. Premier survol des objectifs. Accord pour rencontrer les membres de l'équipe.	Établir la relation de confiance avec le client.
2. ANALYSE DES BESOINS AUPRÈS DES MEMBRES DE L'ÉQUIPE	Investigations sur les malaises, insatisfactions et conflits. Points forts et points faibles de l'équipe. Leviers de changement.	Identifier si la volonté des membres est suffisante pour continuer. Faire la liste des améliorations souhaitées.
3. DIAGNOSTIC ET PROPOSITION D'UNE DÉMARCHE	Analyse de la situation. Analyse des facteurs de risques et de succès. Alignement des attentes et des objectifs.	Faire des scénarios de démarche permettant de rencontrer les cibles.
4. VALIDATION AUPRÈS DU GESTIONNAIRE RESPONSABLE	Explication du rationnel de la démarche. Présentation des enjeux. Implication de la haute direction.	Obtenir l'adhésion du gestionnaire. Faire émerger les craintes. Chercher des appuis.
5. PRÉPARATION ET LOGISTIQUE	Préparer le matériel nécessaire. Envoyer le déroulement aux participants. Réserver le lieu.	Optimiser les conditions de succès.
PHASE DE PRESTATION		
6. CONSOLIDATION (2 JOURS)	Prestation de l'activité. Rencontre informelle (souper, apéro).	Viser l'atteinte des cibles identifiées.
PHASE DE SUIVI		
7. SUIVIS POST-CONSOLIDATION ET COACHING		Vérifier le respect des engagements. Nommer les apprentissages et visualiser l'évolution de l'équipe.

A. La phase préparatoire

La rencontre avec le gestionnaire responsable

Peu importe d'où provient la demande initiale – des ressources humaines ou d'un collaborateur de l'équipe –, la rencontre avec le gestionnaire responsable doit avoir lieu le plus tôt possible au cours du processus. Divers points doivent être abordés afin de bien cibler les besoins. Toutefois, rappelons que la rencontre vise quatre objectifs.

Objectif 1 :
Procéder à une première exploration des besoins et des objectifs

La première rencontre avec le gestionnaire vise à déterminer les besoins ou à apporter des précisions sur les objectifs. L'exploration des besoins et des objectifs par le responsable permet de comprendre l'ampleur du mandat et de vérifier si l'intervenant (ou conseiller) a les compétences nécessaires pour apporter un soutien adéquat au client.

Bien souvent, l'intervention choisie diffère un peu de ce que le client envisageait au départ. En effet, les gestionnaires ne connaissent pas toutes les possibilités d'intervention. Ils ignorent parfois certains outils qui ne proviennent pas de la formation traditionnelle. Le conseiller en ressources humaines, ou le consultant, a pour responsabilité de les aider à cheminer dans le processus de consolidation. Il leur suggère des scénarios qui combleront leurs besoins afin d'améliorer leur organisation.

La grille suivante propose diverses pistes d'exploration permettant de cibler les besoins et de dégager une définition préliminaire du mandat qui s'annonce.

GRILLE D'ANALYSE DES BESOINS

Objet de la rencontre

Exploration de la demande et premier survol des objectifs

Points abordés

Les particularités de la direction ou du service

- Effectif et structure organisationnelle
- Changements organisationnels : approche, clientèle, vision
- Défis et enjeux actuels et futurs
- Problèmes éprouvés
- Symptômes ou signes présents
- Vos préoccupations en tant que gestionnaire

Description du profil de l'équipe

- Forces et faiblesses de l'équipe
- Zones de confort et d'inconfort au sein des membres de l'équipe
- Les compétences qu'ils auraient avantage à acquérir

Les résultats concrets que vous aimeriez atteindre à la fin de l'intervention

Facteurs de succès concernant l'intervention

- Obstacles possibles à l'intervention
- Activités de formation et de perfectionnement réalisées dans le passé et résultats obtenus
- Perceptions ou réactions de l'équipe concernant l'intervention à venir

Ce que vous êtes prêt à faire pour réussir cette intervention

Autres personnes ou sources d'information à consulter

Objectif 2 :
Valider la correspondance entre le besoin et la solution envisagée

Dans la majorité des cas, la demande initiale est « recadrée[4]. » Le recadrage consiste à replacer la problématique dans son contexte global afin de découvrir les éléments clés qui jettent un éclairage sur la dynamique de l'équipe et sur son niveau d'efficacité. Les informations obtenues sur le contexte et les facteurs organisationnels présents permettent d'obtenir un portrait d'ensemble du système humain et organisationnel en place.

[4] La notion de recadrage est très bien présentée dans l'ouvrage *Profession : consultant*, de Lescarbeau, Payette et Saint-Arnaud.

CAS

Recadrage d'une demande de formation

Un client sollicite mes services pour une séance de formation d'une demi-journée sur la connaissance des différences individuelles à partir de l'indicateur de types Myers-Briggs (MBTI). Je demande à son groupe de préciser ses besoins et le contexte dans lequel s'inscrirait cette activité.

L'examen de la structure organisationnelle met alors au jour la nécessité d'un changement d'envergure dans l'organisation du travail. L'entreprise doit désormais harmoniser les activités de trois services qui étaient exploités de manière indépendante jusqu'à ce jour.

Puisque la nouvelle structure organisationnelle mise en place influe considérablement sur l'organisation du travail et sur les liens d'interdépendance de l'ensemble des gestionnaires, la nécessité de définir de nouveaux modes de fonctionnement devient primordiale.

Je retiens l'idée de départ de mon client de faire un atelier de travail sur la connaissance des autres avec l'indicateur de types MBTI mais pas en une demi-journée. Obtenir des résultats significatifs en si peu de temps me paraît impossible. Je lui propose donc d'animer la prochaine retraite annuelle de deux jours du groupe en ajoutant des activités sur la découverte des complémentarités chez les membres de l'équipe, sur la clarification des modes de fonctionnement ainsi que sur l'exploration de techniques de résolutions de problèmes en équipe. Ma proposition a été retenue. L'équipe entière a bénéficié d'une plus grande variété d'outils et a pu participer à la création d'une nouvelle synergie entre ses membres. Tous les membres de l'équipe ont adoré cette expérience. Le facteur clé de ce succès retentissant : la bonne activité au bon moment.

Le cas présenté précédemment illustre bien l'importance d'approfondir la demande initiale du client. Il faut la « recadrer » dans son ensemble afin de s'assurer que l'intervention proposée soit la plus pertinente possible en fonction des personnes présentes et du système en place.

À quelques occasions, il peut arriver que la solution prônée par le mandataire vise sciemment ou non à maintenir la problématique en question ou le statu quo. L'analyse des besoins permet de savoir si l'intervention mènera à des résultats tangibles ou si, au contraire, elle aggravera la situation.

Chose certaine, l'habileté à distinguer les enjeux et à prévoir les risques encourus par le type d'intervention initialement envisagé par le client est capitale.

Objectif 3 :
Obtenir l'accord du responsable pour rencontrer les membres de son équipe

La première rencontre avec le gestionnaire responsable permet de comprendre le contexte et l'ampleur de la situation. Il est toutefois recommandé de poursuivre l'analyse de la situation et des besoins auprès des membres de l'équipe ou, au moins, auprès de quelques représentants. Il faut présenter la logique de cette démarche au client et obtenir son accord. À cette étape, le client peut participer à l'élaboration des pistes d'investigation en précisant, en collaboration avec l'intervenant, les questions qui seront posées à son équipe.

L'un des arguments fréquemment entendus est le suivant : « Je suis très proche de mon équipe, et l'information que vous obtiendriez de la majorité de mes collaborateurs est la même que celle que je vous donne aujourd'hui. » À cela, je réponds : « Dans ce cas, vous n'avez pas d'objection à ce que je vous confirme votre perception ? » Lorsque je dois argumenter davantage, j'ajoute : « De plus, l'analyse des besoins auprès de certains collaborateurs permettra d'approfondir les pistes de solutions auxquelles chacun a réfléchi. À partir de ces pistes, nous évaluerons ensemble le type d'intervention le plus adéquat dans votre situation. »

Les informations recueillies, qui seront transmises au gestionnaire, contribueront à faire évoluer sa perception quant à la problématique soulevée. Ensuite, il sera plus facile d'élaborer ensemble des pistes de solutions nouvelles qui tiendront compte de la réalité des gens concernés. De plus, l'analyse de la situation avec les membres de l'équipe (ou « enquête de feed-back ») permet de vérifier s'ils sont **ouverts** à l'intervention proposée. Elle offre également l'occasion de les engager immédiatement dans le processus tout en minimisant les risques de résistance ultérieurs.

Consulter les membres de l'équipe avant d'intervenir apporte les avantages suivants :

- Favoriser une perception commune des problématiques vécues au sein de l'équipe.
- Créer un effet mobilisateur dès le début de l'intervention.
- Légitimiser les sentiments ou les réactions émotives des membres de l'équipe.
- Alléger la responsabilité du gestionnaire face aux difficultés de l'équipe ; Le gestionnaire n'est plus le seul à devoir trouver des solutions.

Objectif 4 :
Établir une relation de confiance avec le gestionnaire et clarifier les champs de compétences

Il n'est pas toujours facile d'établir une relation de confiance avec son principal collaborateur (gestionnaire responsable). Mener une consolidation d'équipe sans avoir pris soin d'entretenir un certain niveau de confiance diminue les chances d'obtenir les résultats recherchés.

L'intervention est facilitée quand le gestionnaire a confiance dans le processus ainsi que dans les ressources et les compétences de la personne qui agit comme catalyseur de l'intervention. La meilleure façon d'établir la confiance consiste à clarifier les champs de compétences respectifs de chacun. Ce faisant, les deux parties s'entendent sur leur façon de procéder et de collaborer. La relation de partenariat devient alors possible. Très souvent, les compétences de l'intervenant complètent celles du gestionnaire, puisqu'elles concernent davantage le processus.

Les 4 compétences de l'intervenant

- L'impartialité
- La capacité d'analyse et de synthèse
- L'aptitude à gérer des processus humains
- Des compétences relationnelles éprouvées : écoute empathique, communication, gestion de conflits, résolution de problèmes en équipe et animation d'un groupe

Ces habiletés sont des exemples de ce qu'un intervenant ou un professionnel en ressources humaines peut offrir à un gestionnaire. Il peut également agir à titre de coach dans l'acquisition de ces compétences chez le gestionnaire en le faisant participer, avec lui, à une ou à plusieurs étapes du processus.

Les compétences du gestionnaire se situent davantage sur le plan opérationnel de son secteur, donc sur le contenu.

Les 4 compétences du gestionnaire

- La connaissance des employés
- La connaissance de la réalité opérationnelle de son secteur d'activité : modes d'action, opérations, structures, clients, services et produits
- La connaissance des enjeux politiques ou stratégiques et de ce qui représente une bonne occasion ou une menace pour l'organisation
- Des compétences en gestion, sur le plan des opérations et côté relationnel, notamment le pouvoir d'influence et de leadership auprès des membres clés de l'équipe.

Clarifier à l'avance les champs de compétences respectifs est un pas prometteur dans la création de la relation de partenariat et de confiance. Lorsque les partenaires s'entendent à l'avance sur un certain nombre de rôles qu'ils peuvent exercer, un bon départ s'annonce pour l'aventure qui suivra.

EXEMPLE : IMITER LE GESTIONNAIRE IMPARFAIT

Il m'est arrivé de prédire à un gestionnaire toutes les récriminations de son personnel et de cerner les zones de conflits potentiels avec certaines personnes de son équipe.

Après avoir désamorcé sa réaction défensive – le sujet était délicat, il faut l'avouer - nous nous sommes mis d'accord pour que je le parodie afin de susciter des réactions chez les membres de son équipe. J'ai donc verbalisé, en exagérant, ce que son équipe pouvait lui reprocher.

Comme ce gestionnaire était introverti et très concret dans son approche, j'ai adopté l'approche suivante : « Ne trouvez-vous pas qu'avec un profil comme le sien, Claude (nom fictif) ne communique pas clairement sa vision, ses attentes ? N'avez-vous pas l'impression qu'il vous cache de l'information… ? » Les yeux des participants se sont agrandis subitement. Enfin, certaines personnes ont commencé à réagir : on peut finalement aborder cette difficulté.

Et voilà, le travail est amorcé, la discussion fait place à un échange sur les perceptions de chacun. Claude a pu exprimer ses difficultés au sein d'un groupe. « Je suis plutôt timide en groupe. C'est pourquoi je suis plutôt expéditif lors des réunions. Je dois admettre que cette situation m'empêche de connaître vos besoins. J'ai besoin que vous me formuliez clairement vos attentes sur ce sujet. »

S'il n'est pas possible dès le départ d'établir une relation de confiance et de clarifier les compétences respectives, on devra travailler la relation tout au long de l'intervention et veiller à ne pas commettre d'ingérence. Dans certains cas, si le défi semble trop difficile à relever, il faut tenter de sensibiliser le gestionnaire à cette réalité et voir s'il peut accepter de reconsidérer la situation. Sinon, **l'arrêt de l'intervention** s'impose.

Il est difficile de faire évoluer toute une équipe si le gestionnaire responsable n'accepte pas de modifier ses méthodes de travail. Le leader de l'équipe joue un rôle primordial au sein de celle-ci : il doit donner l'exemple aux autres. S'il n'est pas ouvert au changement, l'évolution de l'équipe sera limitée.

Il doit être en mesure de déceler la résistance au changement dès le début de l'intervention. Celle-ci est légitime et propre à chaque situation. Au fur et à mesure que s'établit la relation de confiance, la résistance diminue. Par contre, si l'on croit que la relation de confiance ne pourra s'installer entre le gestionnaire et l'intervenant, on devra reconsidérer la situation et prendre la décision qui s'impose.

CAS

Une relation de confiance difficile à établir

Il m'est arrivé d'intervenir auprès d'une équipe de gestion sans avoir préalablement créé un lien de confiance suffisant avec le gestionnaire. En effet, lorsqu'une situation de crise se présente, les événements peuvent parfois se précipiter.

Dans un cas particulier, l'intervention a dû commencer en l'absence du gestionnaire, qui était à l'extérieur. Son groupe et moi avons analysé la situation. Les constats de cette analyse étaient les suivants :

Le climat de travail est tendu, voire hostile dans certains services.

Les employés vivent beaucoup de frustration et certains font appel à des techniques d'intimidation auprès de certains cadres intermédiaires.

Les cadres intermédiaires déplorent le manque de communication et de soutien de leur nouveau patron.

Au retour du gestionnaire, je lui communique les constats issus de l'analyse menée auprès de son équipe. Sa réaction est tranchante. Il ne me croit pas : il pense que j'ai déformé les propos de ses gens. Bien sûr, une personne confrontée à une réalité aussi décevante réagit de manière défensive. Nier la réalité est une façon de se protéger. Mon travail consiste donc à l'aider à accepter cette réalité et à travailler à l'améliorer.

Le défi est de taille. Notre collaboration démarre sur des bases difficiles, car je n'ai pas gagné sa confiance. Je suis l'odieuse personne qui lui fait voir une réalité jusqu'alors insoupçonnée. Consciente du climat malsain qui règne, la haute direction m'incite à conduire une intervention dans les plus brefs délais. Le gestionnaire responsable la perçoit comme un mal nécessaire. Décidément, je suis prise entre l'écorce et l'arbre. La situation se corse de plus en plus !

Dans les faits, la relation de collaboration et de confiance a été difficile à établir avec le gestionnaire. Heureusement, la durée de l'intervention a contribué à augmenter de manière significative le degré de confiance que chacun ressentait à l'égard de ses collègues. Pendant cette période de quatre mois, les membres de l'équipe ont en effet connu une série de petits succès. Ces derniers ont fait évoluer la dynamique relationnelle.

Graduellement, la méfiance a fait place à l'humour ainsi qu'à un plus haut niveau de confiance et d'entraide. Des indices révélateurs, comme un climat favorisant la productivité et le plaisir au travail, témoignent de cette réussite. Ma relation avec le gestionnaire s'est améliorée lorsque je lui ai donné le pouvoir d'influencer toute la démarche qui avait été mise en place.

L'analyse des besoins auprès des membres de l'équipe

Cette étape permet d'évaluer la volonté des membres de faire progresser l'équipe et de désigner les pistes d'améliorations souhaitées. Elle constitue une version modifiée de ce que Lescarbeau, Payette et Saint-Arnaud appellent l'enquête feed-back[5].

À cette étape, il est recommandé d'utiliser une grille d'analyse de la situation ou de préparer un court questionnaire en collaboration avec le gestionnaire responsable. Ce dernier connaîtra ainsi les questions qui seront posées au cours des rencontres avec ses membres. De ce fait, il participera davantage au processus, ce qui facilitera l'établissement progressif de la relation de confiance. Le gestionnaire sera donc plus enclin à recevoir l'information divulguée pendant les rencontres et à se rallier à l'analyse qui s'en dégagera.

Dans l'ensemble, les questions abordées avec les membres de l'équipe ou avec certains d'entre eux couvrent les mêmes thèmes que ceux présentés dans la grille précédente. Les questions qui suivent concernent davantage le fonctionnement des équipes. Elles peuvent être soulevées avec les membres.

7 questions pour déterminer les besoins du personnel

1. Quels défis avez-vous à relever dans vos fonctions actuelles ?

2. Quelles devraient être les cinq grandes responsabilités clés de votre poste ?

3. Quelles sont les situations difficiles ou problématiques et les malaises que vous vivez dans l'exercice de vos fonctions ?

[5] *Op.cit.*

4. Pour accroître la confiance et la communication avec vos collègues, que faut-il faire à votre avis ?

5. Quels changements devriez-vous apporter dans votre façon de travailler pour être plus efficace en équipe ?

6. Quelles sont les forces de l'équipe ?

7. Qu'êtes-vous prêt à investir pour améliorer le fonctionnement de votre équipe de travail ?

Le diagnostic et la proposition d'une démarche

L'analyse des informations recueillies chez les personnes rencontrées conduit à l'élaboration d'un ou de deux scénarios possibles. Ces derniers doivent correspondre aux cibles visées par le gestionnaire responsable et tenir compte des améliorations souhaitées par les membres de l'équipe. En réorganisant les informations colligées, le consultant définit les attentes et les améliorations souhaitées et les reformule en objectifs réalistes et significatifs (qui deviennent la résultante du recadrage).

L'analyse des facteurs de risque et de succès permet également au consultant de proposer les activités appropriées pendant l'intervention. À ce stade-ci, le consultant devra s'assurer que l'intervention ne nuira pas au fonctionnement actuel de l'équipe.

En résumé, lorsque les attentes et les besoins d'amélioration convergent, l'intervention offre des facteurs de succès plus importants. La consolidation sera alors facilitée. Si les attentes diffèrent, la prochaine étape visera à sensibiliser le gestionnaire à une nouvelle approche de sa réalité organisationnelle.

La validation avec le gestionnaire responsable

La plupart du temps, le gestionnaire est curieux, et parfois impatient, de connaître les informations recueillies lors de l'enquête feed-back. Cette discussion avec le gestionnaire (et le professionnel en ressources humaines, si possible) est **primordiale**.

Il importe aussi que le consultant demeure à l'écoute des arguments et des réponses du gestionnaire. Il doit évaluer si ce dernier est à l'aise avec les activités proposées et s'il pourra s'ouvrir ou remettre en question son style de leadership. Le langage verbal et non verbal et les messages implicites du gestionnaire offrent au consultant un indice important concernant sa disposition au changement. Cela permettra au consultant de redéfinir les objectifs et de sensibiliser le gestionnaire aux résultats qui pourront être obtenus et à ceux qui doivent être écartés.

La connaissance de l'équipe et de sa dynamique est aussi importante que la connaissance des enjeux et des stratégies de l'organisation influant sur l'évolution de l'équipe. Des décisions de la haute direction peuvent colorer le déroulement de l'intervention. À titre d'exemple, pensons aux groupes de travail qui sont mutés et qui se retrouvent dans un secteur différent ou encore à un service ou à un secteur qui modifie les rôles et les responsabilités de chacun.

Ces exemples sont courants dans le marché du travail actuel. En effet, les changements y sont monnaie courante. Si l'on doit apporter des modifications aux rôles des membres et à la structure organisationnelle, il faut d'abord évaluer la pertinence d'entreprendre le processus de consolidation d'équipe *immédiatement* ou *après* avoir apporté des changements.

Il n'y a rien de plus désolant que de travailler à consolider une équipe de travail et de voir l'équipe se démanteler par la suite. À quelques occasions, j'ai constaté que des équipes de travail qui avaient été mobilisées, sensibilisées et consolidées ont ensuite subi une réorganisation. Comme il est contrariant de voir les membres de l'équipe se retrouver parmi d'autres groupes de travail et relever de responsables différents et d'avoir l'impression qu'il faut alors tout reprendre à zéro !

CAS

Une consolidation morte dans l'œuf

Une firme en télécommunications fait appel à mes services pour consolider un nouveau groupe. Un changement apporté récemment à la structure organisationnelle rallie dorénavant un noyau de gens qui avaient déjà travaillé avec d'autres personnes issues d'un autre groupe. Toutefois, on craint que le style de gestion plutôt encadrant et contrôlant du gestionnaire soit une difficulté pour certains membres de cette nouvelle équipe qui sont très autonomes. Nous convenons d'organiser une séance de consolidation de deux jours à l'extérieur; on y présentera des activités de clarification de rôles et de communication afin d'établir de nouvelles règles de fonctionnement. Les ententes conclues à la fin de la deuxième journée témoignent d'un bon degré d'engagement de chacun à l'atteinte des objectifs :

- Les membres reconnaissent l'importance de travailler ensemble et de mettre en commun leurs expertises.
- Des mécanismes de communication sont définis pour assurer une meilleure communication entre les quarts de travail.
- Le gestionnaire responsable connaît les attentes de coaching de ses membres d'équipe.

L'équipe entière sort de la consolidation enthousiasmée et persuadée que cette future collaboration sera prometteuse.

Un mois plus tard, je fais le suivi auprès du gestionnaire responsable pour voir comment les choses évoluent. Ma déception est grande lorsque j'apprends que l'équipe a été démantelée et que même le gestionnaire responsable ne s'occupe plus de ce groupe !

Cette expérience est une bonne leçon pour moi. Dorénavant, je ne tiens rien pour acquis. Même si un groupe vient de connaître une restructuration, cela ne constitue en rien une promesse de stabilité. Dorénavant, je prends soin de consulter la haute direction et de l'informer de l'intervention qui se prépare. Je vérifie si elle a l'intention d'apporter des changements à court terme auprès de ses groupes de travail (voir le chapitre 6: « Avez-vous mis toutes les chances de réussite de votre côté ? »).

Il est fort probable que les apprentissages issus d'une consolidation peuvent s'appliquer à d'autres contextes. Toutefois, la base d'une consolidation d'équipe repose sur la qualité des relations entre ses membres, et sur la distribution des rôles et des responsabilités de chacun pour atteindre les objectifs de l'équipe.

La principale difficulté, lorsqu'on change les joueurs d'une équipe, c'est qu'il faut redéfinir ou clarifier à nouveau les règles du jeu et s'investir dans la reconstruction de relations de qualité. Une partie de ce qui a été réalisé en consolidation d'équipe est à refaire avec les nouveaux membres de l'équipe.

La préparation et la logistique

Le but de cette étape : mettre tous les éléments en place pour favoriser les conditions de succès de l'intervention. Les éléments physiques et concrets prennent alors toute leur importance. Ils donnent une légitimité à cette intervention, qui est parfois perçue de manière abstraite par l'ensemble des participants.

Il faut tout prévoir, de la lettre de convocation des membres à l'organisation physique des lieux, en passant par le déroulement complet de l'activité. Étant donné que le contenu d'un processus de consolidation diffère selon les situations (il dépend des besoins particuliers établis au moment de l'analyse), nous vous proposons maintenant une liste de points à vérifier. Il s'agit d'actions à réaliser *avant, pendant* et *après* la consolidation d'équipe.

Liste de vérification

Client:

Service: Date:

Préparation avant l'intervention

1. Conclure la proposition avec le client
2. Valider les objectifs et les résultats ciblés
3. Confirmer les dates de prestation
4. Envoyer aux participants une confirmation écrite dans laquelle vous donnez des détails sur le déroulement, les objectifs et le lieu où se tiendra l'activité
5. Faire remplir un profil de personnalité ou un autre outil psychométrique aux participants (si nécessaire)
6. Corriger les profils et préparer le matériel didactique
7. Préparer un court résumé des pistes souhaitées qui permettront au groupe de s'améliorer (recueillies lors de l'enquête feed-back)
8. Faire des copies de tous les documents nécessaires
9. Vérifier avant la date de l'événement si les réservations sont faites et confirmer le nombre exact des participants

Le jour de l'intervention

Apporter tout le matériel requis

Crayons et tablettes de feuilles
Matériel du participant
Cocardes d'identification
Activité de type *Ice breaker*
Portable (pour avoir accès à sa banque d'activités)

Pendant l'intervention: prévoir les pauses, les heures de repas et les activités en soirée (si l'intervention se prolonge le lendemain)

Postintervention

1. Rapport postactivité: plan de match de l'équipe et commentaires d'appréciation du groupe
2. Prévoir une rencontre avec le gestionnaire pour remettre le rapport et déterminer les dates de suivi

B. La phase de prestation

La tenue de la consolidation d'équipe

La séance de consolidation d'équipe ne suit pas toujours le déroulement prévu. Au moment de l'introduction, il est important de préciser qu'il est possible d'intégrer des discussions et des interactions non prévues à l'ordre du jour. Le consultant ou l'expert externe n'est pas tenu de suivre à la lettre les activités proposées. Les activités des journées consacrées à la consolidation doivent être adaptées aux besoins des participants. Le rôle de l'intervenant est de faciliter le processus d'intervention en mettant en place un mode de fonctionnement et en proposant des outils et des activités. Cette façon de faire permettra à l'équipe d'évoluer de manière à atteindre ses objectifs.

Souvent, la tournure des discussions mène le groupe dans une autre direction. L'intervenant doit alors posséder une bonne tolérance à l'ambiguïté. Il doit aussi rassurer le gestionnaire responsable si le scénario change de façon imprévue. L'intervenant doit toujours avoir un plan B, au cas où le plan A ne fonctionnerait pas.

Il y a deux aspects à gérer dans un processus de consolidation d'équipe : **le contenu et le processus**. L'intervenant a pour fonction de faire progresser les discussions du groupe quant à leur contenu. Agir sur le processus consiste à déterminer et à faire évoluer les modes de fonctionnement de l'équipe dans chacune des activités. L'intervenant soutient ainsi l'équipe pour qu'elle clarifie de nouvelles méthodes de travail. Plus précisément, il aide le groupe à préciser ses règles du jeu, ses codes de communication, ses rôles et responsabilités. Par le fait même, il participe à la création d'une plus grande synergie dans l'équipe.

EXEMPLES DE CODES DE COMMUNICATION

Les membres du groupe se donnent le droit :

- d'exprimer ce qu'ils pensent honnêtement ;
- de dire que le temps accordé à la discussion est écoulé (lorsqu'elle ne mène nulle part) ;
- de déterminer à l'avance les points à l'ordre du jour qui seront consultatifs, décisionnels, informatifs (optimisation de l'efficacité des réunions).

C. La phase de suivi

Les suivis postconsolidation et coaching

Il faut prévoir deux périodes de suivi dans le but d'assurer l'évolution continue de la consolidation d'équipe. Il est recommandé de faire le premier suivi dans un délai maximum de **deux mois** suivant l'intervention. Le premier suivi doit viser les objectifs suivants :

1. Déterminer si les engagements de l'équipe ont été respectés et si les résultats ont été obtenus. Dans le cas contraire, le suivi aidera l'équipe à découvrir les causes ou les conditions qui l'ont empêchée d'atteindre ses objectifs.

2. Faire émerger les nouvelles normes du groupe, c'est-à-dire nommer les conditions qui facilitent ou freinent le travail d'équipe. Par la suite, le suivi aidera l'équipe à relever des moyens ou des modes de fonctionnement précis qui lui permettront de continuer à progresser. Ces moyens peuvent être axés sur la réalité opérationnelle (par exemple, clarifier le mode de

décision en réunion). Ils peuvent aussi porter sur l'aspect relationnel ou sur la solidarité du groupe. Par exemple, pour augmenter le sentiment d'appartenance et accroître la solidarité entre ses membres, une équipe pourrait proposer d'organiser, une fois par mois, un repas amical où les cadres auraient la possibilité de discuter des préoccupations et des difficultés éprouvées au travail.

En fait, le premier suivi s'inscrit dans la poursuite de la consolidation d'équipe et met l'accent sur l'autorégulation des modes de fonctionnement de l'équipe. Le premier suivi peut durer une demi-journée ou une journée entière, selon la taille du groupe, les besoins et le contexte organisationnel.

Le deuxième suivi permet d'évaluer de manière précise les progrès de l'équipe. Le moment suggéré est de **six mois** suivant la séance de consolidation d'équipe.

On mettra alors à la disposition de l'équipe certains outils de travail qui favoriseront la prise en charge du processus engagé. Après une expérience de groupe positive, les équipes ont plus de facilité à surmonter leurs difficultés. Leurs apprentissages leur servent de référence. Ces acquis les aident à progresser et à créer une synergie d'équipe tout au long du processus. La consolidation offre un nouveau départ qui en vaut la peine.

Le questionnaire « Diagnostic de l'équipe » proposé ci-dessous permet de visualiser rapidement les points à améliorer dans les quatre aspects suivants :

1. Sentiment d'appartenance et fonctionnement de l'équipe
2. Gestion des réunions
3. Prise de décision en équipe
4. Climat de travail

On peut faire remplir ce questionnaire à deux reprises : au début du processus et au moment de la postconsolidation. La comparaison des résultats illustre l'évolution du groupe par rapport à certains énoncés. Les énoncés qui ont obtenu une moyenne faible peuvent servir de base pour alimenter une discussion sur le choix de nouvelles cibles à atteindre.

Un autre scénario possible consiste à préparer un court questionnaire et à l'envoyer d'avance aux membres de l'équipe. Le questionnaire comprendra des questions qui faciliteront la découverte des points de satisfaction et d'insatisfaction au sein de l'équipe ainsi que les nouveaux défis à relever.

L'intervenant collige ces données, prépare un rapport sommaire et entreprend le suivi postconsolidation avec ces données. Par la suite, il aide le groupe à élaborer un nouveau plan de match. Il s'assure également que les comportements et les actions de l'équipe sont cohérents avec ses valeurs.

Questionnaire

Diagnostic de l'équipe

Ce questionnaire vise à établir le profil de votre équipe et servira de point de départ pour vous aider à définir vos objectifs. Il est donc important d'y répondre en fonction de votre perception personnelle et actuelle, et des attentes que vous avez envers votre équipe. Pour chacun des énoncés, indiquez votre degré d'approbation selon l'échelle suivante :

Je suis totalement en désaccord **Je suis totalement en accord**

1 2 3 4 5 6

A. SENTIMENT D'APPARTENANCE ET FONCTIONNEMENT DE L'ÉQUIPE

Énoncés	**Totalement en désaccord**			**Totalement en accord**		
J'ai le sentiment d'être un membre à part entière de l'équipe.	1	2	3	4	5	6
Je me sens respecté par la plupart des membres de l'équipe.	1	2	3	4	5	6
En général, les membres se sentent libres d'exprimer ce qu'ils pensent au sein de l'équipe.	1	2	3	4	5	6
Le climat de travail qui règne dans l'équipe est agréable.	1	2	3	4	5	6
De façon générale, les relations entre les membres de l'équipe sont bonnes.	1	2	3	4	5	6
Je me sens à l'aise de dire ce que je pense dans l'équipe.	1	2	3	4	5	6
Je me sens respecté par mon supérieur.	1	2	3	4	5	6
La plupart du temps, les membres de l'équipe sont capables de discuter entre eux de façon ouverte et franche.	1	2	3	4	5	6
Tous les membres de l'équipe participent activement aux discussions et à la prise de décision pendant nos réunions.	1	2	3	4	5	6
Globalement, le fonctionnement de l'équipe est bon.	1	2	3	4	5	6
Il existe un bel esprit de collaboration et d'entraide à l'intérieur de l'équipe.	1	2	3	4	5	6

Questionnaire

B. LA GESTION DES RÉUNIONS

Énoncés	**Totalement en désaccord**			**Totalement en accord**		
Les membres arrivent préparés aux réunions.	1	2	3	4	5	6
Les objectifs poursuivis dans nos réunions sont clairs.	1	2	3	4	5	6
En général, on atteint les objectifs avant la fin de la réunion.	1	2	3	4	5	6
On répartit bien notre temps entre les différents points à traiter pendant la réunion.	1	2	3	4	5	6
De façon générale, on tient compte des idées ou des points de vue des membres de l'équipe.	1	2	3	4	5	6
Les membres de l'équipe se sont donné des procédures et des règles de fonctionnement pour les réunions.	1	2	3	4	5	6
Un responsable (autre que le supérieur) anime les réunions.	1	2	3	4	5	6
Nos réunions sont efficaces.	1	2	3	4	5	6
Les principaux points de la prochaine réunion sont établis à la fin de la réunion.	1	2	3	4	5	6
On connaît d'avance la durée des réunions.	1	2	3	4	5	6
On connaît d'avance l'ordre du jour de la réunion.	1	2	3	4	5	6
L'ordre du jour est réaliste.	1	2	3	4	5	6
Les membres de l'équipe peuvent émettre leurs opinions sur le fonctionnement du groupe.	1	2	3	4	5	6

Questionnaire

C. PRISE DE DÉCISION EN ÉQUIPE

Énoncés	**Totalement en désaccord**			**Totalement en accord**		
Chacun sait clairement sur quoi portent les décisions.	1	2	3	4	5	6
Chacun peut s'exprimer au moment de la prise de décision.	1	2	3	4	5	6
Chacun se sent concerné et visé au moment de la prise de décision.	1	2	3	4	5	6
L'équipe connaît les étapes d'une prise de décision.	1	2	3	4	5	6
Les membres de l'équipe respectent les étapes d'une prise de décision.	1	2	3	4	5	6
L'équipe fait un bilan du travail accompli et des décisions prises durant les réunions.	1	2	3	4	5	6
Il est plutôt rare que les décisions soient remises en question à la suite de la réunion.	1	2	3	4	5	6
La plupart des décisions sont approuvées par le supérieur hiérarchique, après avoir fait l'objet d'une consultation auprès de l'équipe.	1	2	3	4	5	6
Il est rare que les décisions soient prises par quelques employés seulement. Les membres de l'équipe se sentent à l'aise de participer à la prise de décision.	1	2	3	4	5	6
Les ressources et les capacités de chacun sont connues et mises à contribution au moment des prises de décisions.	1	2	3	4	5	6
Il est rare que les décisions soient prises par un vote ou à la hâte.	1	2	3	4	5	6
Les décisions prises en groupe sont respectées.	1	2	3	4	5	6
Les opinions des autres sont respectées lorsqu'il y a désaccord.	1	2	3	4	5	6

Questionnaire

D. CLIMAT DE TRAVAIL

Énoncés	**Totalement en désaccord**					**Totalement en accord**
Je me sens utile à l'équipe.	1	2	3	4	5	6
Je suis à l'aise de donner mon opinion, même lorsque je suis la seule personne en désaccord.	1	2	3	4	5	6
On accorde beaucoup d'importance à la discussion dans les réunions d'équipe.	1	2	3	4	5	6
Je suis à l'aise d'adresser mon mécontentement par rapport au fonctionnement de l'équipe ou d'une personne.	1	2	3	4	5	6
Dans notre équipe, le leadership est partagé par les membres.	1	2	3	4	5	6
Le climat au sein de l'équipe favorise le respect et l'écoute.	1	2	3	4	5	6
Notre équipe connaît peu de conflits ou de tensions.	1	2	3	4	5	6
De façon générale, lorsqu'une personne s'exprime, elle s'adresse le plus souvent à l'ensemble de l'équipe et non uniquement à son supérieur.	1	2	3	4	5	6
On a accès à toute l'information nécessaire pour tenir des réunions efficaces.	1	2	3	4	5	6
Lorsque l'équipe atteint ses objectifs, on attribue son succès à l'équipe et non seulement à une seule personne.	1	2	3	4	5	6
Je me sens utile à mon équipe parce que mes coéquipiers font appel à mes compétences et à mon savoir-faire.	1	2	3	4	5	6
Les membres de l'équipe peuvent se donnent du feed-back sur le fonctionnement de la réunion.	1	2	3	4	5	6
Le climat du groupe est sain.	1	2	3	4	5	6
Durant les réunions, l'humour a sa place, et on a du plaisir à travailler ensemble.	1	2	3	4	5	6

CHAPITRE 5

Quand le torchon brûle...

Il est impossible de parler de consolidation d'équipe sans aborder la notion de conflits. Un article intitulé « La formation en gestion des conflits sort du placard » paraissait dans le journal *Les Affaires* en avril 2001. Selon l'auteur, ce thème était tabou il y a une dizaine d'années. J'abonde dans ce sens. J'ajouterais que, jusqu'à ce jour, les tabous persistent encore sur la notion de conflit. Par exemple, si je m'affichais comme une experte en gestion de conflits, je ne suis pas certaine qu'on solliciterait autant mes services.

Parler de consolidation d'équipe est, à mon avis, une approche plus positive et moins menaçante pour les gens qui y participent. Il n'en demeure pas moins que, lorsqu'on gère une activité de consolidation d'équipe, il faut rester vigilant devant l'apparition éventuelle d'un conflit latent ou potentiel.

Il n'y a pas de travail d'équipe sans conflits. D'ailleurs, je deviendrais sceptique si l'on me disait qu'il n'y a aucun conflit dans une équipe. Ce serait peut-être de la complaisance, qui éviterait justement à l'équipe de se retrouver dans une situation conflictuelle. Le conflit demeure ainsi en veilleuse. Afin de mieux saisir la notion de conflit, voyons un peu comment il se manifeste.

Les sources de conflits

Le conflit existe lorsque des personnes ou des équipes aspirent aux mêmes ressources ou lorsque les besoins respectifs sont opposés et ne peuvent donc pas être comblés de manière satisfaisante pour les parties en cause. La rareté des ressources (financières, humaines et matérielles) est source de conflits dans une organisation. Il existe trois sources de conflits.

- *Le conflit intra-individuel.* Par exemple, lorsque mon désir de terminer mon projet d'écriture est aussi grand que mon désir de partager de bons moments avec mes proches, je vis un conflit interne. Les deux besoins ne peuvent être satisfaits en même temps.

- *Le conflit interpersonnel.* Une personne qui est à la recherche constante de gratifications de son patron peut, de manière involontaire, nourrir un conflit interpersonnel avec ses collègues. Par exemple, en sollicitant constamment l'approbation de son patron, elle entre en compétition avec ceux-ci.

- *Le conflit organisationnel.* Dans le cas d'une rationalisation, le partage des ressources (humaines, matérielles ou financières) entre les différents services constitue l'une des plus importantes sources de conflits.

Quelle qu'en soit la source, le conflit n'est pas vécu ni géré de la même façon par tous. La culture des individus (mœurs, expériences passées ou origine culturelle) et la culture organisationnelle influent grandement sur la gestion des conflits.

Par exemple, chez les Chinois, une confrontation d'idées est perçue comme un geste de non-respect et une insulte extrême. Dans la culture nord-américaine, une confrontation survient lorsque les objectifs sont importants et que les parties ne trouvent pas un terrain d'entente. On observe fréquemment cette situation dans les litiges concernant les relations de travail ou encore dans les conflits d'intérêts.

La mise en place d'un processus de collaboration avec l'équipe

Peu importe le type de conflit, il est crucial d'en cerner les sources afin de choisir les bons leviers permettant de le désamorcer. Un conflit latent est comme une bombe à retardement. Une fois de plus, au cours de l'analyse et du diagnostic de la situation, l'intervenant devra aiguiser ses sens pour tenter de percevoir les non-dits.

Si l'on admet le conflit, on devra gérer l'information avec minutie afin de ne pas privilégier l'une ou l'autre des parties qui s'opposent. L'intervenant agit donc davantage à titre de médiateur. Il recueille les informations auprès des deux parties, les résume et planifie un feedback. Le conflit est alors situé dans son contexte – là où il est vécu, au sein de l'équipe –, de sorte que le groupe peut devenir un levier de changement important dans la résolution du conflit.

Lorsque le conflit existe seulement entre deux personnes au sein d'une équipe, je prends soin de les rencontrer individuellement avant de procéder à la consolidation. La rencontre sert à déterminer dans quelle mesure ces deux personnes accepteraient de régler leurs différends devant leur équipe. Elle permet également de clarifier les limites et les zones d'inconfort de chacun. J'optimise ainsi la relation de confiance en m'engageant à ne pas outrepasser ces limites.

Je prépare aussi les opposants à considérer le point de vue de l'autre en reformulant une partie des attentes qui m'ont été signalées. Dans ce contexte, le temps aide à faire évoluer la situation. Il est donc souhaitable de disposer d'environ deux semaines avant la tenue des activités de consolidation avec l'équipe afin de permettre aux personnes de mûrir leur réflexion.

CAS

La résolution d'un conflit ; approche curative

Une équipe de direction vit certains malaises. Il existe un conflit de personnalité entre deux de ses cadres. Après avoir attendu jusqu'à ce que la situation semble irréversible, le gestionnaire responsable se résout à faire appel à une aide extérieure. Il me demande d'établir un premier diagnostic de la situation et de proposer une intervention.

Je constate souvent que les gestionnaires ont ce genre de réaction. Ce n'est pas par indifférence ou par inattention qu'ils attendent ainsi, mais leur inaction est justifiée par la pensée suivante : **les cadres devraient être en mesure de régler eux-mêmes leurs différends**. Ce n'est que lorsque le climat semble s'être vraiment détérioré et que le conflit devient le sujet *in* des discussions de cafétéria qu'une demande d'aide est souvent adressée.

À la suite d'un premier entretien avec le gestionnaire responsable, je demande à rencontrer individuellement tous les membres de l'équipe afin d'analyser en profondeur la situation. Je constate vite que la source du conflit sur laquelle on a mis le doigt n'est en fait que la pointe de l'iceberg. Toute l'équipe était impliquée indirectement dans ce conflit. Dans ce cas, j'observe et note les malaises et symptômes suivants :

- Désengagement des membres de l'équipe par rapport aux objectifs de l'équipe : les performances enregistrées sont en grande partie attribuées au gestionnaire responsable.

- Retard dans les rapports à remettre ou report dans les décisions que chacun s'était engagé à respecter.

- Méfiance entre les membres.

- Très peu de collaboration entre les divers secteurs. La majorité des membres s'efforcent d'atteindre ses propres objectifs, parfois au détriment des autres. Par exemple, les groupes de vente se font concurrence.

- Division de l'équipe en clans : pour ou contre l'un ou l'autre des deux protagonistes en conflit. Pendant que l'on perd un temps fou à entretenir le conflit, les deux divisions de l'organisation en question sont laissées pour compte. Aucun travail productif n'est alors accompli. On s'évertue à renverser ou à bloquer les décisions de l'une ou de l'autre.

Il est évident que l'équipe travaille dans un climat de tension, que certaines personnes sont déjà contaminées par le conflit des deux opposants.

Une fois les rencontres individuelles terminées, je retourne voir le responsable pour lui faire part de mes observations. Heureusement, un cheminement s'est accompli de son côté. Il est prêt à faire ce qu'il faut pour assainir la situation. Cependant, ma difficulté sera de lui faire envisager des répercussions non souhaitées à la suite de l'intervention. C'est ici qu'il faut sortir des gants blancs pour expliquer les choses tout en restant réaliste. La résolution de conflits profonds – lorsque les valeurs des individus sont heurtées – est rarement possible sans qu'on doive payer les pots cassés ! À ce stade, il arrive fréquemment que l'une des parties ne veuille plus poursuivre la démarche ou n'ait plus confiance dans le rétablissement de la situation. Dans ce contexte, il faut envisager de déplacer certains joueurs, c'est-à-dire de les assigner à d'autres fonctions pour éliminer les liens d'interdépendance au travail. Mais cela n'est pas toujours réalisable.

Lorsque le gestionnaire responsable nie la gravité de la situation, j'ajoute : « Quand la confiance est entachée, et c'est le cas ici, il est difficile de bâtir une synergie. Si nous n'agissons pas, vous aurez à gérer des individus et non une équipe. Si nous agissons, nous parviendrons peut-être à recréer une synergie. Que souhaitez-vous faire ou obtenir comme résultat ? » Nous convenons de mettre en place un processus de consolidation d'équipe de deux jours, et le responsable ne pourra prendre position ni pour l'un ni pour l'autre des opposants. À cause de son statut hiérarchique, le responsable devra s'en tenir à soutenir les deux cadres de manière équitable et à participer le plus objectivement possible à tout le processus mis en place.

Est-il nécessaire de spécifier qu'une telle consolidation exige beaucoup de tact et de préparation ? Malgré toute la préparation, il est très probable que le déroulement ne suivra pas le cours prévu. L'intervenant doit être souple et s'ajuster à la réalité émotive présente à tous les instants. Cela exige beaucoup de vigilance et de présence.

Le cas présenté permet de comprendre qu'un conflit de cette nature entraîne des conséquences fâcheuses et graves pour l'ensemble de l'organisation. Dans les faits, plusieurs décisions prises dans ce contexte engendraient beaucoup de confusion dans l'organisation. Il devenait très ardu de les appliquer. L'absence de soutien et le manque de collaboration étaient un mal répandu dans toute l'équipe. La consolidation a permis d'ajourner les conflits, de faire prendre conscience aux membres de l'équipe de leur implication dans le conflit présent et de répartir de manière plus équilibrée les rôles et les responsabilités de chacun. L'équipe se porta mieux par la suite.

Dans le cas d'un conflit, les deux parties opposées ont à la fois raison et tort. Il faut travailler à trouver des compromis, des terrains d'entente qui satisferont les deux parties. La résolution d'un conflit n'est pas toujours possible. Voilà une donnée importante que tout intervenant doit garder en tête, car la réussite ne dépend pas que de lui.

D'autres éléments à considérer

Un climat et un environnement adéquats

Le climat et l'environnement jouent un rôle important dans la réussite d'une consolidation d'équipe. Très souvent, je recommande de tenir l'activité loin du bureau, à l'extérieur, dans un lieu de villégiature par exemple. L'environnement contribue à créer des conditions favorables à l'ouverture d'esprit, à la détente et au dialogue. Vous est-il déjà arrivé de régler une dispute de couple dans un restaurant achalandé et bruyant ? Si oui, quels ont été les résultats de votre discussion ? La présence d'éléments distrayants diminue la qualité de l'écoute, condition indispensable à la réussite d'une consolidation.

De plus, offrir un certain confort aux participants d'un processus de consolidation constitue une excellente forme de rétribution. Cela permet de récompenser la bonne volonté et les efforts que l'équipe a investis jusqu'à ce jour.

CAS

Un environnement inadéquat : un malentendu mène à des résultats médiocres

Un client me demande de tenir un atelier sur la gestion des conflits (un atelier de sensibilisation ou de préconsolidation pour mieux saisir les éléments des difficultés de l'équipe). La personne responsable à l'interne commet une erreur en réservant la salle. On se retrouve dans une salle trop grande, bruyante et située à deux pas du bureau. De plus, il fait 27 °C à l'extérieur, et la climatisation ne fonctionne pas.

Dès le début de la journée, on sent bien que les gens ne participent pas. En plus, l'information justifiant la tenue de cet atelier n'a pas été suffisamment diffusée. Plus la journée avance, plus l'intérêt diminue. À cause de la chaleur excessive, les gens ont de la difficulté à se concentrer sur le sujet. Nous devons mettre fin à la séance peu de temps après le lunch.

Cette expérience désagréable (autant pour les participants que pour l'intervenant) aurait pu être évitée. Je me fais dorénavant un devoir de vérifier toute la logistique, dans ses moindres détails, afin de mettre toutes les chances de succès de notre côté et d'éviter ainsi ce genre de situation.

À plus forte raison s'il existe des conflits au sein de l'équipe, il faut prévoir un environnement confortable et des espaces pour des échanges privés.

La taille du groupe

Dans la gestion de conflits ou de l'efficacité d'une équipe de travail, la taille du groupe influe grandement sur son degré de cohésion. Les objectifs visés ne pourront être les mêmes dans les petites équipes de 4 membres et dans les grands groupes de 15 personnes et plus. Au cours de ma carrière, il m'est arrivé d'animer des séances comportant plus de 20 participants. Quand ce genre de situation survient, je précise qu'il s'agit d'un atelier de sensibilisation au travail d'équipe et d'une introduction à certains outils utiles au travail d'équipe.

En effet, plus le nombre de participants est élevé, plus la possibilité d'interactions entre chaque membre d'une équipe est réduite. Aussi, les gens se comportent de manière différente lorsqu'ils sont en présence de plusieurs autres personnes. Par exemple, des parents se comportent différemment l'un envers l'autre quand les enfants sont là.

En règle générale, nous avons deux scénarios de comportements par personne totalisant six possibilités d'interactions. Une équipe de quatre personnes présente neuf scénarios différents d'interactions. Imaginez une consolidation d'équipe à 20 personnes ! L'exercice serait trop ardu et, surtout, ne permettrait pas d'approfondir la situation.

Le choix d'activités

Le choix d'activités pertinentes adaptées au contexte et à l'équipe revêt une importance primordiale. Pour chacune des activités choisies, l'intervenant doit se poser les questions suivantes : Quel est le but poursuivi ? Quels sont les résultats escomptés ? Si les réponses ne sont pas claires, elles ne le seront pas non plus pour l'équipe. Il ne faut surtout pas laisser au hasard le déroulement d'une séance de consolidation ni planifier un programme très chargé qui accorde peu de temps à la discussion.

Rappelons qu'une situation de conflit engendre beaucoup d'anxiété et de questionnements chez les participants. Un déroulement bien établi permet de rassurer ces derniers. Mais attention ! Il ne faut pas que le respect de l'ordre du jour devienne plus important que les discussions. Ces dernières sont cruciales, car elles permettent de verbaliser les non-dits et de faire ventiler les frustrations de l'équipe. Si l'intervenant tente se s'en tenir religieusement à l'ordre du jour, il risque de cristalliser le conflit ou même de l'empirer.

Quant aux participants, ils attendent souvent vers la fin de la consolidation pour exprimer leurs désaccords ou discuter des points plus « sensibles ». Cela fait partie des scénarios possibles. Je m'efforce de demeurer vigilante tout au long du processus. Je demande régulièrement au groupe si les sujets abordés jusque-là couvrent les besoins de l'ensemble des personnes. Parfois je dois provoquer des situations, à l'aide d'exercices ciblés, qui permettent de crever l'abcès au cours de l'intervention. Par exemple, j'inclus souvent l'exercice d'échanges de feed-back à deux au début de la deuxième journée. Après avoir exprimé à tour de rôle leurs désaccords à la personne concernée, les participants ont plus de facilité à poursuivre le travail en grand groupe.

L'observation des stratégies de défense ou de survie

Toute organisation possède ses propres enjeux politiques, ses jeux d'influence et de pouvoir. L'exercice du pouvoir suscite diverses réactions. Certains y prendront goût, d'autres abdiqueront.

Dans la course au pouvoir, certaines personnes ont recours aux stratégies suivantes :

- Gagner de la crédibilité au détriment d'une autre personne.
- Avoir ses propres lignes d'action cachées.
- Exercer son pouvoir de manière inadéquate.
- Dissimuler des renseignements en vue de préserver l'étendue de son pouvoir.

- Se protéger de manière démesurée.

- Résister passivement ou activement au changement.

Connaître la culture d'une organisation permet de désigner les mécanismes de protection les plus utilisés. Par exemple, dans une culture d'entreprise où la compétition est grande entre les secteurs, il est fréquent de constater l'absence d'entraide.

Lorsque le pouvoir devient oppressant, des réactions liées à l'adaptation et à la survie se manifestent chez l'être humain. La sensation de perdre le contrôle ou la maîtrise de la situation déclenche chez la personne des réactions qui lui permettent d'assurer sa survie. Lorsqu'une situation est perçue comme menaçante, le recours aux mécanismes de défense est de plus en plus présent.

Chez l'être humain, les mécanismes de défense interviennent lorsque la personne se sent menacée, dans sa réalité ou dans ses pensées. Freud s'est longuement étendu sur ce sujet. Il a reconnu une dizaine de mécanismes auxquels peut avoir recours l'être humain aux prises avec une réalité qui lui semble inacceptable ou difficile. La projection, le déni, la compensation, la rationalisation, la formation réactionnelle et le déplacement en sont des exemples.

Comme tous les organismes vivants, une organisation possède des mécanismes de survie ou un système d'autodéfense, lui permettant de faire face aux situations qui suscitent l'incertitude, l'insécurité et la peur chez ses membres. Par exemple, dans un contexte de rationalisation, de restructuration importante ou de fusion d'entreprises, il n'est pas rare de constater la présence de divers mécanismes de survie permettant de réagir aux changements organisationnels en cours.

Dans son volume *Survival Games Personnalities Play*, Eve Delunas présente divers moyens auxquels ont recours certaines personnes pour assurer leur survie en fonction de leur tempérament (issu du profil MBTI).

Les tempéraments et leurs mécanismes de défense

Personnalité	Besoins	Mécanismes / buts	Effets
Gardien	Besoin d'appartenance. Se sentir responsable. S'investir dans ses fonctions.	Se plaindre. S'excuser de ne pas être à la hauteur de ses responsabilités.	En se plaignant, la personne lance un appel à l'aide ; elle essaie d'obtenir l'attention des autres pour répondre à son insécurité. « Si j'avais ceci ou cela, je fonctionnerais mieux. »
Artisan	Besoin de liberté et de suivre ses impulsions. Démontrer ses habiletés. Faire bonne impression.	Dénoncer. Se stimuler ou punir les autres.	Dénoncer les autres signifie se protéger des attaques qui pourraient vous être adressées. En mettant l'accent sur les autres, la personne se sent temporairement en sécurité. « Ce n'est pas moi, ce sont les autres. »
Rationnel	Besoin de performance. Mettre en pratique son ingéniosité. Démontrer ses compétences.	Agir comme un robot. Se concentrer sur soi et détourner l'attention des autres sur ses comportements contrôlés.	En agissant comme un robot, la personne rationalise ou intellectualise les aspects émotifs d'une situation. En plaçant tout dans sa tête et en réagissant machinalement, la personne se détache de ses émotions, considérées comme anxiogènes. « Je ne vois pas pourquoi vous vous affolez. »
Idéaliste	Besoin de réalisation très fort. Développer son potentiel et celui des autres. Être authentique.	Se dérober. Décevoir les autres et s'aliéner.	Une autre façon de se protéger en laissant savoir à son entourage que « je ne suis pas à la hauteur ». Cela permet un désengagement temporaire par rapport à une situation anxiogène. « Se mettre à voler alors que cela va à l'encontre de ses valeurs fondamentales. »

Qu'une personne, une équipe ou une organisation entière opte, consciemment ou non, pour des mécanismes de protection ou des stratégies de survie, le but visé est le même : se protéger contre une menace réelle ou perçue. Pendant qu'on s'évertue à se protéger, on est loin d'accepter la réalité présente. Les véritables améliorations ou changements pourront être apportés lorsque le système de défense disparaîtra. Certes, il ne cessera pas d'un seul coup. À un moment donné, les mesures de défense feront place à l'ouverture d'esprit et à l'acceptation de changements créés par un climat de confiance et une communication franche.

Au moment de l'analyse des besoins, l'intervenant qui remarque la présence de mécanismes de défense bien ancrés sait qu'il ne s'attaque pas à une mince tâche. Il doit alors bien préparer le terrain avant d'« ensemencer » quoi que ce soit, sinon il risque de créer un effet non souhaité : celui de renforcer les mécanismes de défense.

CHAPITRE 6

Avez-vous mis toutes les chances de réussite de votre côté ?

L'établissement d'une relation de confiance avec le gestionnaire responsable

L'importance d'établir une relation de confiance a été abordée au chapitre 4. Elle constitue l'une des étapes importantes de la phase préparatoire du processus de consolidation d'équipe. Un climat de confiance s'établit lorsque le gestionnaire responsable se sent à l'aise avec la personne qui animera la séance de consolidation d'équipe. Il doit avoir la conviction que la situation est entre bonnes mains.

Une communication claire et franche est essentielle pour établir la confiance et l'ouverture d'esprit nécessaires à la réussite du processus. Cela est particulièrement vrai lorsqu'un conflit interpersonnel existe au sein de l'équipe. Dans un tel cas, je me fais un devoir de prévoir le meilleur et le pire des scénarios qui pouvaient se présenter.

EXEMPLES DE SCÉNARIOS À ENVISAGER

Lorsque nous sommes en présence d'un conflit interpersonnel, j'informe le gestionnaire responsable des pires scénarios qui pourraient résulter d'une intervention en présence de l'équipe :

- Les membres ne pourront plus nier l'existence du conflit ou faire semblant que cela ne les concerne pas (même s'ils y étaient indirectement impliqués).
- La résolution du conflit pourra conduire à redistribuer les rôles et les responsabilités des membres de l'équipe. Sommes-nous prêts à cette éventualité ?
- Si la source du conflit est le non-respect des valeurs, il est possible qu'une des parties décide de son propre chef de quitter l'équipe. L'équipe devra alors remplacer cette personne.

En informant le gestionnaire responsable des résultats possibles, l'intervenant peut évaluer ce que ce dernier veut faire à l'égard de ce genre de situation. La personne ou l'organisation peut-elle vivre avec les conséquences d'un tel problème ? Quels seront les effets sur les plans organisationnel et affectif ? Comment réagira l'équipe ? Comment peut-on empêcher la situation de progresser ?

Naviguer dans cette zone de turbulence sans établir une relation de confiance avec le gestionnaire responsable, c'est comme partir à bord d'un bateau sans capitaine. Dans cette situation, l'intervenant risque de poursuivre des objectifs, légitimes en soi, sans avoir l'assurance qu'ils correspondent tout à fait aux attentes du groupe.

Une mise en garde

La relation de confiance est importante. Toutefois, il ne faudrait pas qu'une trop grande complicité avec le client suscite des réactions non désirées. Par exemple, si les membres de l'équipe ont l'impression qu'il se crée une partialité entre le gestionnaire et le consultant, ils risquent de devenir méfiants et de voir ainsi leurs progrès limités.

Un examen attentif des symptômes

Les symptômes sont des indicateurs de l'état de santé de l'organisation et de l'équipe. L'intervenant doit être en mesure de vérifier si les symptômes présents dans l'équipe correspondent à la situation décrite au moment du diagnostic. Si ce n'est pas le cas, il devra envisager de nouvelles pistes d'investigation afin de bien cerner la problématique ou la dynamique de l'équipe.

Certains symptômes à observer

- Un roulement de personnel élevé
- Un pourcentage croissant de congés de maladie
- Des remplacements fréquents du leader officiel (cadre hiérarchique) d'un groupe
- Les problèmes de fonctionnement liés à certaines valeurs prônées par le groupe

- Une façon inadéquate de résoudre les problèmes (par exemple, lorsque toutes les décisions doivent faire l'objet d'un consensus même quand ce n'est pas approprié)

- Une baisse de productivité qui n'est pas attribuable à des causes matérielles (un manque d'outils, par exemple)

- Un manque de confiance entre les personnes

L'information amassée sur ce genre de symptômes peut aider le consultant à évaluer si l'intervention proposée est pertinente, et si elle répond aux besoins des membres et de l'organisation.

Au moment du diagnostic des besoins, ce qui importe le plus, ce n'est pas tant ce qu'on dit sur la situation, mais comment cela est énoncé et **ce qu'on omet de mentionner**. On sait très bien que l'inconscient exerce une action sur le conscient. C'est en étudiant les symptômes qu'on met au jour la réalité sous-jacente. Pour sa part, le conscient prend soin de ne pas divulguer l'odieux ! Mais il reste toujours quelques fissures qui laissent filtrer ce qui semble imperceptible.

Le système d'évaluation de la performance

On a vu que la forme de rétribution du travail d'équipe est importante. À partir du système d'évaluation de la performance, on peut se faire une idée sur l'évolution des succès de l'équipe dans le contexte organisationnel actuel. En ce sens, une culture d'entreprise très compétitive qui encourage les réussites individuelles met en péril la survie et le maintien de la culture axée sur les équipes de travail.

Certes, la meilleure consolidation d'équipe a des effets à court terme. S'il n'y a pas de renforcement, les individus reviendront rapidement à leurs comportements et à leurs attitudes individualistes. La volonté et le soutien de l'organisation sont assurés concrètement par des programmes de reconnaissance axés sur les efforts de l'équipe.

Le rôle de la haute direction

Un autre facteur assurant le succès de l'intervention consiste à engager la haute direction dans le processus ou à tout le moins à la tenir informée de la démarche entreprise.

En pratique, je me suis rendu compte que plus les dirigeants de la haute direction participaient au processus, plus ils étaient sensibilisés aux effets de leurs décisions sur le rendement des équipes de travail. Une culture de travail d'équipe ne peut être adoptée que si la haute direction adapte ses systèmes de récompense et ses structures en fonction de cette nouvelle réalité. Ainsi, les résultats bénéfiques se multiplieront dans l'ensemble de l'organisation.

Les équipes réalisent des choses bien plus importantes que les résultats obtenus par chaque membre individuellement. Travailler en équipe exige une grande motivation de tous pour que les membres en arrivent à défendre les intérêts du groupe avant leurs propres intérêts personnels. Dans ce contexte, l'appui de la haute direction est cruciale. Le discours et les objectifs visés doivent s'harmoniser pour donner lieu à des actions concrètes qui impliquent la participation de toute l'organisation.

Le rythme d'évolution du groupe

Le groupe évolue selon son propre rythme. Les groupes diffèrent tous les uns des autres et chacun est constitué d'individus qui possèdent des personnalités différentes. L'intervenant qui procède à une consolidation d'équipe doit respecter le rythme du groupe. L'amener trop loin et trop vite risquerait de compromettre son équilibre, et de déclencher des réactions et des mécanismes de défense. L'intervenant doit être en mesure de faire évoluer l'équipe progressivement, en toute confiance, avec la sécurité émotive nécessaire.

Au début de la plupart des séances de consolidation, je prévois toujours deux ou trois activités qui permettront de briser la glace et d'établir un climat qui favorisera des échanges de qualité (voir au chapitre 3 le cas de l'entreprise ACQUISITION). Ces activités servent de tremplin pour apprivoiser doucement une réalité affective sous-jacente. Les enjeux inavoués de l'équipe seront ainsi mis au jour, ce qui facilitera le dénouement des impasses.

On doit également tenir compte des différences individuelles pour respecter le rythme de chacun. Certains participants progressent moins facilement, alors que d'autres sont prêts à foncer plus rapidement. Il faut savoir doser les activités et s'adapter au groupe à chaque instant.

Deux intervenants valent mieux qu'un

La gestion d'un processus de consolidation d'équipe nécessite beaucoup d'attention et d'énergie. Être à l'écoute d'une équipe signifie être attentif au contenu informatif et affectif des discussions ainsi qu'au processus de l'équipe.

En présence d'un groupe d'au moins 10 personnes, il est avantageux de faire appel à deux intervenants pour mener les activités destinées à favoriser la participation du groupe. Pendant que l'un anime, l'autre reste attentif au langage non verbal des participants afin de déceler toute résistance ou réaction émotive.

De plus, la présence de deux intervenants ayant des personnalités complémentaires offre plus de possibilités d'interactions avec les participants. Un intervenant d'un style particulier peut encourager certaines personnes plus que d'autres à s'exprimer librement.

Mes plus belles expériences de consolidation d'équipe ont été réalisées en partenariat. Bien qu'il soit nécessaire que les deux intervenants se mettent d'accord sur la coanimation, les résultats obtenus sont nettement plus gratifiants. La comparaison des perceptions de chacun favorise une plus grande objectivité et diminue le risque de partialité. Pour les intervenants, l'expérience constitue une grande source de développement sur les plans personnel et professionnel.

Les compétences et les qualités de l'intervenant

L'efficacité de l'intervenant dans un processus de consolidation d'équipe repose sur deux habiletés relationnelles indispensables.

1. *Être à l'aise avec ses propres réactions émotives.* Plus l'intervenant est conscient de ses peurs, de ses démons intérieurs, plus il sera à l'aise quand viendra le temps de gérer les craintes et les peurs des participants. Sans cette habileté, l'animation des discussions risque fort de rester au premier niveau d'intégration et d'apprentissage, donc à un niveau plus rationnel.

2. *Gérer autant les besoins, les intérêts, les émotions que les ressources des personnes concernées.* Autrement dit, l'intervenant doit agir comme « facilitateur » à l'intérieur du processus. En aucun cas, il ne doit servir sa propre cause. Ses compétences relationnelles sont mises au service du groupe en vue de l'aider à atteindre un plus haut niveau d'efficacité.

L'intervenant doit posséder les qualités suivantes :

- Avoir une excellente écoute et beaucoup d'empathie.

- Avoir acquis un bon sens de l'observation et d'analyse.

- Savoir se servir de son intuition ou de son instinct.

- Être crédible aux yeux de l'organisation ou de l'équipe.
- Faire preuve d'éthique et de confidentialité.
- Assurer sa totale impartialité.
- Vouloir faire évoluer l'équipe.
- Connaître l'organisation et sa culture.
- N'avoir aucun pouvoir ou n'exercer aucun pouvoir pour trancher.

Les facteurs d'échec à éviter

Parmi les facteurs qui peuvent nuire à la réussite d'une consolidation d'équipe, les plus courants sont les suivants :

- Ne pas avoir un mandat clair de la part du gestionnaire responsable.
- Escamoter l'étape du diagnostic en tenant pour acquis la problématique.
- Laisser la résistance s'installer au sein du groupe.
- Ne pas tenir compte des réactions émotives des participants.
- Avoir la conviction personnelle que tout le monde devrait s'apprécier et s'aimer.
- Avoir un parti pris pour le gestionnaire responsable ou pour certains membres de l'équipe, ou se laisser séduire ou distraire par l'un des membres.

- Commettre une ou plusieurs ingérences à l'endroit de l'équipe ou de son responsable.

- Susciter des sentiments négatifs chez les participants : culpabilité, honte, doute, humiliation.

- Avoir un emploi du temps rigide ou un programme trop chargé.

Évidemment, une erreur est toujours possible. Toutefois, elle pourra devenir une source d'apprentissage dans la mesure où l'intervenant possède une certaine dose d'humilité et sait en faire bénéficier le groupe.

Petit truc

Si vous en êtes à vos premières consolidations, je vous suggère de colliger, dans un cahier, vos réflexions, vos apprentissages et vos erreurs de parcours. Avant la prochaine consolidation, révisez vos notes afin d'éviter de répéter vos erreurs. Mais n'oubliez pas que l'erreur est humaine et qu'elle peut être positive si l'on sait en tirer des apprentissages.

CHAPITRE 7

Consolider, oui, mais après ?

Maintenir un climat de travail harmonieux

Maintenir un climat de travail harmonieux et continuer à stimuler l'esprit d'équipe n'est pas une tâche facile. Mais c'est possible. Quand je dis « climat de travail », je fais référence à la perception qu'ont les personnes des caractéristiques de l'organisation et à ce que celle-ci a à leur offrir. C'est la perception qu'ont la majorité des gens de la façon dont ils sont dirigés et traités.

Le climat joue un rôle important dans la satisfaction des besoins des travailleurs et dans leur motivation au travail. Lorsque le climat se détériore, il est facile de prédire que certaines problématiques humaines ou organisationnelles vont ressurgir.

Les organisations qui instaurent des changements sans les communiquer ou qui effectuent des fusions sans avoir établi un plan de communication et d'intégration des ressources humaines s'exposent à une détérioration du climat de travail. La même chose arrivera à une organisation qui a connu plusieurs changements successifs sans les avoir expliqués adéquatement au préalable. En ce sens, la présentation du cas suivant me semble pertinente pour démontrer les répercussions positives d'un plan de mobilisation des cadres sur le climat de travail. Les équipes de cadres concernées ont tiré des leçons précieuses qui valent la peine d'être rapportées.

CAS

Des difficultés relationnelles entre des cadres et leur personnel

Une entreprise florissante commence à observer un certain vieillissement de son personnel. L'entreprise a connu une croissance rapide et a atteint un plateau. Le rendement de l'organisation est excellent, mais les possibilités d'expansion et de promotion pour son personnel sont plutôt restreintes. Les besoins de motivation du personnel évoluent : de plus en plus expérimentés, les employés sont à la recherche de nouveaux défis. Les gestionnaires doivent désormais gérer plus efficacement les opérations (devenues plus exigeantes) avec un personnel de plus en plus compétent.

Au cours des deux dernières années, plusieurs changements organisationnels et de direction ont nui au moral de l'équipe de gestion et du personnel. Résultat : les cadres ont eu tendance à gérer leur division honnêtement, sans toutefois respecter la vision globale de leur établissement. De plus, le style de gestion (directif) ne répondait pas au degré de maturité de l'ensemble du personnel. Une crise était imminente. Le climat de travail se détériorait progressivement. La confiance avait disparu.

Les employés commencent à se rebeller devant le manque de cohérence et de vision. À travers leurs revendications, on peut déceler un plus grand désir d'écoute de leurs besoins de motivation et une amélioration de leur qualité de vie au travail.

L'intervention que nous proposons (en collaboration avec le professionnel en RH) consiste à mettre en œuvre un processus de mobilisation des cadres et du personnel où la consolidation des équipes de cadres constituait le pivot majeur de notre réussite. Voici comment se déroule la démarche.

1. *Le plan de communication.* Nous rassurons le personnel en communiquant ouvertement les enjeux et les changements à venir. Nous justifions les changements précédents de la façon la plus rationnelle possible et nous consultons les cadres sur les situations à améliorer.

2. *La mobilisation des équipes de cadres.* À l'aide des consolidations d'équipe, nous favorisons l'émergence d'un nouveau style de leadership. Les équipes de cadres sont réunies à plusieurs reprises ; cela nous aide à déterminer leur vision d'équipe, à comprendre leurs valeurs et à définir le plan de match de chaque division.

3. *La communication des plans de match.* Nous préparons le plan avec les employés de chaque division, et nous validons leurs besoins quatre mois plus tard.

Le suivi postintervention nous permet d'observer de nombreux indicateurs de succès. Ces derniers témoignent de la réussite de l'intervention et du progrès des équipes de travail. Les succès les plus révélateurs sont les suivants :

- Le climat de travail est plus serein.
- Le personnel est souriant et éprouve de nouveau du plaisir au travail.
- Une plus grande collaboration et une meilleure entraide existent entre les cadres.
- Les besoins de motivation liés à l'individu au travail sont mieux compris.
- Les cadres passent plus de temps à superviser les membres de leur équipe dans l'apprentissage de tâches enrichies qu'à diriger le personnel (style de leadership directionnel).
- Les réunions de cadres sont plus efficaces et efficientes.
- L'ensemble du personnel adhère à la vision et aux valeurs de l'équipe qui leur ont été proposées par l'ensemble des cadres.

Ces indicateurs nous permettent de croire que le climat de travail s'est nettement amélioré. Espérons que les efforts persisteront.

Maintenir un climat de travail harmonieux est une affaire de tous les jours. Et c'est la responsabilité première de tout gestionnaire. Un climat de travail de qualité réduit l'absentéisme, les sources de malentendus et le stress au travail. De même, un climat propice renforce le travail d'équipe, l'apprentissage et le rendement global du personnel. Quelle organisation peut, de nos jours, se passer d'un climat de travail sain ?

Définir la vision et encourager l'engagement envers cette vision

Une équipe qui n'a pas de vision, c'est comme un capitaine de bateau sans carte ou sans boussole. Le capitaine peut naviguer sur le plan d'eau, mais il sera davantage à la merci des vents et des intempéries de Dame Nature, car il ne peut prévoir les accostages possibles.

Définir sa vision signifie se définir comme équipe, avec un but à long terme qui caractérise la raison d'être de l'équipe. Les valeurs demeurent et les objectifs se renouvellent. Lorsqu'une équipe de cadres définit ses valeurs, elle donne de la couleur à sa vision, à sa façon d'opérer et détermine comment les décisions seront prises. Par exemple, l'équipe qui veut témoigner de sa force par la solidarité et par un esprit d'équipe réel ne peut plus se comporter de manière individualiste. Elle doit constamment penser à intégrer ses joueurs dans la prise de décision et les orienter vers une plus grande responsabilisation.

Dans le cas mentionné précédemment, les cadres se rappellent les valeurs établies par leur organisation. Ils constatent que leurs valeurs clés ont, en réalité, été oubliées. Ils se rendent compte à quel point elles sont importantes, car ce sont ces valeurs qui ont attiré le personnel vers leur organisation. Les employés ont cru en ces valeurs, pour lesquelles ils ont donné le meilleur d'eux-mêmes. Laisser tomber des valeurs fondamentales revient à abandonner ses chances de faire partie de la course. C'est comme un bris de contrat moral, une sorte de trahison. Les employés essaient de trouver un sens à cette nouvelle réalité.

Ce genre de situation est fréquent dans le cas d'acquisitions ou de fusions d'entreprises. Parmi les valeurs existantes (issues des organisations distinctes avant la fusion), lesquelles seront reconnues à l'avenir ? Quelle influence auront les valeurs sur les actions concrètes et quotidiennes, le style de gestion et le leadership ? Trop souvent, on est affairé à conjuguer les opérations et les services, et on néglige l'essentiel. Les équipes de direction doivent donner le ton et établir une nouvelle structure en collaboration avec leur personnel. Leur mandat est encore plus grand : elles doivent s'assurer que leurs ressources humaines adhèrent à la vision et aux valeurs, qu'elles les adoptent volontairement.

Comme gestionnaire, cette tâche peut vous sembler lourde parfois. Qu'à cela ne tienne, les professionnels en RH sont là pour vous aider et la plupart d'entre eux adorent ce genre de demande, car ils aiment participer au développement de l'organisation.

Appliquer la discipline

La discipline n'a rien de sorcier. Il faut mettre en pratique ce que l'on prône. Le respect des valeurs, des règles et des procédures établies exige de l'attention et de la rigueur. Lorsque l'équipe de gestion s'impose elle-même cette discipline, il est plus facile de la transmettre aux autres échelons de gestion et aux personnes non cadres. Le gestionnaire n'est plus celui qui dicte ; c'est celui qui communique la vision et les attentes, qui inspire et guide ses coéquipiers, et qui agit comme un modèle pour eux. Les meilleurs gestionnaires réussissent à influencer leurs employés pour qu'ils réussissent à accomplir, en leur absence, leur travail dans la pleine mesure de leurs moyens.

L'équipe de cadres mentionnée dans le dernier cas s'est disciplinée pour communiquer avec constance et authenticité avec son personnel respectif. La qualité de l'écoute s'est grandement améliorée. Les échanges basés sur les besoins opérationnels ont fait place à des échanges d'idées et à des solutions jusqu'alors insoupçonnées.

Avez-vous déjà remarqué les discussions de certains couples âgés au restaurant ? Êtes-vous étonné de remarquer la pauvreté des échanges et l'ennui qui semble les habiter ? Entretenir des relations significatives et stimulantes exige de la discipline. Il faut se donner la chance et le temps de découvrir l'autre sous un nouveau jour. Un défi intéressant, vous ne pensez pas ?

Susciter la passion et le plaisir au travail

Les heures passées à notre travail sont plus nombreuses que celles accordées à notre vie familiale et à nos loisirs. Le plaisir au travail est une grande source de motivation et de satisfaction. C'est également un réservoir d'énergie. Les gens passionnés n'ont pas besoin de se faire rappeler les objectifs à atteindre. Ils croient en leur projet et sont capables de transmettre aux autres leur passion.

Il semble que les années de restructuration, où il a fallu faire plus avec moins, ont en quelque sorte déshumanisé le travail. L'accélération du rythme de travail a créé une sollicitation des ressources intellectuelles et physiques de plus en plus grande. C'est ici que le travail d'équipe prend toute sa saveur. Avec ses collègues et le soutien de ses patrons, l'employé qui prend plaisir à faire son travail vient insuffler l'énergie nécessaire pour répondre à des besoins de plus en plus criants. Sans plaisir et sans passion, la production devient une source majeure de stress.

Pour Covey, les gestionnaires passionnés par leur travail sont de grands leaders. De nombreuses personnes s'investissent toujours dans leur travail avec conviction et enthousiasme. Lorsqu'on rencontre ce type de travailleurs, on se demande souvent : « Mais où puisent-ils donc toute leur énergie ? »

Au sein de l'équipe citée précédemment, mentionnons qu'un des apprentissages les plus significatifs a été de se rendre compte que les cadres ne prenaient plus le temps de se faire plaisir et d'avoir un certain agrément à travailler ensemble. Ils ont donc établi une nouvelle règle : se permettre de ventiler leurs frustrations, de célébrer leurs bons coups, de prendre du temps entre eux, à l'extérieur du bureau, pour échanger et discuter ensemble. Ils ont même fait l'engagement de tenir, au moins une fois par année, le genre de retraite préconisée dans la consolidation d'équipe.

Comme le disait Guylaine : « Si chaque cadre a l'obligation d'avoir du plaisir chaque jour, d'être dans de bonnes dispositions lorsqu'il arrive au travail, les employés en ressentiront les effets et seront à leur tour heureux à leur travail. » Une formule trop simple, vous dites-vous ? Essayez-la pendant une période de deux semaines et constatez par vous-même les résultats !

Respecter les autres et apprécier les différences !

Apprécier les différences implique nécessairement le respect des autres et des rôles de chacun. Une équipe qui s'évalue ou se juge constamment sans s'extérioriser limite ses propres progrès. L'appréciation des différences passe par la connaissance de soi et l'acceptation de ses forces et de ses faiblesses. Pour accepter les différences entre les autres et nous, il faut comprendre comment ils procèdent ; nous avons discuté de cet aspect au chapitre 3.

Les cadres dont nous avons parlé ont beaucoup progressé par rapport à cette dimension. Les forces de chacun sont utilisées pour que l'équipe avance et obtienne des succès. Mais, à partir des points faibles des personnes, il est aussi possible d'élaborer des situations où le coaching entre pairs ou entre patrons et subordonnés devient la clé du succès. Pas mal, n'est-ce pas ? C'est une façon nouvelle d'envisager une même réalité. Cette dernière offre l'avantage de mobiliser et de responsabiliser la personne quant à son propre perfectionnement professionnel.

Lorsqu'on réussit à franchir cette étape dans le contexte d'une fusion, où le personnel provient de deux ou plusieurs organisations, on peut affirmer que l'organisation a fait un grand pas dans l'intégration de ses ressources humaines.

CHAPITRE 8

Une approche simple pour vous, gestionnaires : les équipes *High Five* de Ken Blanchard

Ken Blanchard est un des grands conférenciers de réputation internationale qui m'a beaucoup inspirée et qui continue de m'influencer par sa simplicité et ses approches concrètes. Dans son ouvrage récent *High Five ! The Magic of Working Together*, Ken Blanchard présente, en racontant une histoire sur le coaching d'une jeune équipe de hockey, les principes fondamentaux d'un vrai travail d'équipe. Il nous enseigne comment bâtir des succès véritables dans des équipes qui, au départ, présentaient peu de chances de réussite.

Guidés par un mentor (une dame de 85 ans ayant déjà été coach d'une équipe de basketball), les trois coachs de l'équipe de hockey apprennent à adopter les quatre attitudes favorisant la réussite d'une équipe. Les voici : elles sont très simples à comprendre et à appliquer dans votre quotidien. Elles encourageront la création d'un esprit d'équipe auprès de vos équipiers.

Fournissez un but clair et des valeurs communes

La clé du succès d'une équipe repose d'abord sur **l'acceptation d'un but clair et de valeurs communes.**

Le but doit être défini par l'équipe et non par l'organisation. Ce principe existe aussi dans les autres modèles proposés. Cependant, Blanchard apporte une attention particulière au but. Celui-ci ne doit pas constituer une fin en soi. Par exemple, dans l'histoire présentée, le but n'est pas de gagner la partie, mais plutôt de remporter les séries éliminatoires.

Tous les joueurs de l'équipe doivent viser le même but et se sentir utiles par rapport à l'atteinte de ce but. La plupart des gens croient que la perte de leur joueur étoile minimise les chances de succès de l'équipe. Jed, qui effectue les meilleurs lancers au filet, n'est pas un atout pour l'équipe. Le joueur étoile empêche les autres de développer et de montrer leurs compétences. La première recommandation que le mentor devra donc proposer aux coachs sera de ne pas faire jouer leur joueur vedette pendant des semaines. Durant son absence, les coachs s'acharneront à parfaire les habiletés de l'ensemble des joueurs.

Il n'est pas rare de rencontrer l'une de ces « étoiles » au sein d'une équipe de travail. Même si ses collègues admirent et envient souvent cette personne, il n'en demeure pas moins que sa contribution réelle à l'équipe peut être discutable. Est-ce le cas dans votre milieu de travail ?

Libérez et développez les habiletés

Il faut encourager l'utilisation de toutes les compétences, même celles qui ne sont pas employées par certains par crainte que celles-ci ne soient pas suffisamment efficaces. Notre équipe de hockey s'entraînera donc deux fois par semaine pour acquérir deux habiletés de base qui permettront aux joueurs de garder la maîtrise de la situation sur la glace : l'habileté à freiner et à se déplacer rapidement.

Au travail, on omet trop souvent de former les personnes pour qu'elles acquièrent les habiletés nécessaires au travail d'équipe : la tenue de réunion, les techniques de prise de décision en groupe ainsi que la résolution de problèmes et de conflits forment la base du fonctionnement de toute équipe. Laissées à elles-mêmes, les équipes qui ont peu d'expérience risquent de perdre du temps. Elles peuvent s'enliser et opter pour un fonctionnement qui les rendra inefficaces.

Créez la solidarité d'équipe en renforçant l'attitude « Aucun de nous n'est aussi intelligent que nous tous ensemble »

Il faut à tout prix se débarrasser du mythe suivant : « Je travaille mieux seul qu'avec les autres. Cela prend moins de temps. » Le travail sera peut-être effectué plus rapidement, mais mieux, ce n'est pas certain ! Au risque de me répéter, les organisations qui se classent parmi les meilleures sur le marché sont celles qui font appel à la créativité de l'ensemble de leurs ressources.

À lui seul, un individu ne peut égaler les ressources de plusieurs personnes. Le total est plus grand que la somme des parties. C'est ce qu'on appelle une synergie de groupe. Si chaque personne met l'accent sur le succès de son équipe et délaisse un peu ses propres aspirations, tout le monde y gagnera. Aussi, si l'équipe s'entend sur une stratégie et que chacun y adhère, elle sera de loin meilleure que toute autre équipe possédant de meilleures compétences mais n'optant pour aucune stratégie. C'est ce que le mentor nous livre dans le volume de Blanchard à partir d'un jeu qu'elle propose aux membres de l'équipe de hockey.

Dans le contexte organisationnel, il est triste de constater que certains gestionnaires, qui disent valoriser le travail d'équipe, adoptent un comportement qui n'est pas adapté à leur discours. Ils encouragent des attitudes individualistes et non des attitudes d'équipe. Par exemple, les programmes qui soulignent uniquement le mérite d'un employé et qui n'incluent pas de reconnaissance pour l'équipe. La formation croisée, le développement de la flexibilité par la polyvalence dans les rôles constituent d'excellentes façons de stimuler la solidarité et de renforcer l'attitude prônée par Blanchard : « Aucun de nous n'est aussi intelligent que nous tous ensemble. »

Mettez l'accent sur le positif : récompenses et reconnaissances répétées

Blanchard nous surprend une fois de plus avec sa simplicité en se référant aux principes d'apprentissage et de généralisations de comportements issus de la théorie du behaviorisme. Selon lui, il faut récompenser les équipes pour leurs bons comportements et leur bonne attitude plutôt que de punir les mauvaises performances. Il faut également ne jamais cesser (*repeated*) de manifester de la reconnaissance et d'attribuer des récompenses. C'est ce qu'il appelle les trois « R » du management.

Simple, vous dites ? Avez-vous pensé à appliquer ces principes dans votre gestion de tous les jours ? C'est plus facile à dire qu'à faire. Trop souvent, on intervient lorsque les choses vont mal et on s'abstient de faire quoi que ce soit lorsque tout semble bien rouler. Le management positif exige beaucoup plus d'efforts et de temps (au commencement) que le management négatif.

On observe la même situation avec l'entraînement physique. Au début, le programme d'exercices semble pénible ; après quelques mois, le bien-être devient la source de motivation de nos efforts.

Conclusion sur les équipes *High Five*

Le modèle de Blanchard est vraiment à la portée de tous les gestionnaires. Par sa simplicité, il réussit à leur démontrer la pertinence des éléments de base, qui sont trop souvent négligés. Certaines personnes s'acharnent à répéter les comportements et les attitudes reconnus et renforcés par leur entourage. Si vous renforcez les attitudes souhaitées, vous avez plus de chances de vous rapprocher de ce que vous voulez.

Les équipes performantes sont celles qui :

- partagent un but clair et des valeurs communes ;
- se soucient de développer les habiletés de leurs joueurs ;
- croient que personne n'est plus intelligent que la somme des individus ;
- reconnaissent et renforcent les attitudes et les actions positives.

Conclusion

Je reprendrai d'abord les propos de Ken Blanchard : « Apprendre à travailler en équipe, ce n'est pas facile, mais c'est possible ! » Le travail d'équipe implique la notion de changement. Or, les êtres humains ont tendance à résister au changement. C'est une réaction légitime. Pour cette raison, une aide interne ou externe peut faciliter le processus en guidant, outillant, renforçant et soutenant l'équipe au cours de sa transformation.

À partir d'exemples et de cas concrets, j'espère avoir suscité en vous le goût de tenter l'expérience et d'accomplir quelques actions concrètes en ce sens. Les organisations n'ont plus le choix. Si elles veulent continuer d'accroître leur performance sans mener à l'épuisement leurs ressources humaines, elles doivent repenser l'organisation du travail et leurs méthodes pour répondre aux demandes multiples auxquelles elles font face.

Issue d'une famille d'agriculteurs, je me souviens de mon enfance à la campagne. Durant la période estivale, les travaux à la ferme étaient très exigeants. Le travail accompli en synergie avec tous les membres de la famille nous permettait d'affronter cette période avec une plus grande complicité. Des moments de détente parsemaient les périodes de dur labeur. Lorsque je m'allongeais pour une courte sieste dans la plaine, accompagnée du chant des sauterelles, ou quand je pique-niquais près des champs de blé, je retrouvais un certain plaisir à prendre le temps de vivre. Il faut savoir s'arrêter momentanément et goûter à ces moments d'extase pour apprécier les fruits de nos récoltes. C'est le plus précieux conseil que je souhaite léguer à tous les lecteurs qui s'aventureront sur cette nouvelle route.

ANNEXE

Le Myers-Briggs et ses quatre échelles

Le MBTI donne un aperçu de certaines préférences psychologiques, mais pas toutes. Cet outil permet, entre autres, de déceler les prédispositions innées sur quatre échelles :

- La source dominante d'énergie
- La façon préférée de percevoir
- Le moyen privilégié de prendre des décisions
- Le style d'organisation et d'orientation en général

Il existe plusieurs ouvrages publiés sur la compréhension des types à l'aide du MBTI. Quelques informations globales vous sont présentées dans ce chapitre. Toutefois, le lecteur qui désire plus d'informations à ce sujet pourra consulter la liste des références fournies à la fin du volume.

Comme introduction aux préférences MBTI, pourquoi ne pas vous détendre en vous amusant à répondre aux questions de ce mini-test sur les quatre échelles du MBTI. À noter : il ne s'agit pas du questionnaire protégé de l'indicateur MBTI, mais bien d'un bref aperçu.

Les 4 échelles mesurées par le MBTI

D'où tirez-vous votre énergie ? Extraversion-Introversion

Consigne : Cochez à gauche une réponse par ligne parmi les neuf choix proposés.

Extraversion	**Introversion**
Je préfère l'action à la réflexion.	Je préfère la réflexion à l'action.
Je développe mes idées par la discussion.	Je développe mes idées par la réflexion.
Je préfère discuter que lire.	Je préfère les communications écrites.
Je partage mes pensées et mes émotions facilement.	Je garde mes pensées jusqu'à ce qu'elles soient (presque) parfaites.
Je réagis et réponds rapidement.	Je réfléchis et je pense intensément.
Je suis à l'aise devant les demandes extérieures.	Je me défends contre les demandes extérieures et je les perçois comme des intrusions.
J'apprécie le travail de groupe.	J'aime travailler seul ou avec seulement une ou deux personnes.
J'aime être le centre d'attention.	J'ai tendance à être plutôt discret.
Je parle plus que j'écoute.	J'écoute plus que je parle.

Faites le total. Votre préférence est le score le plus élevé sur un total de neuf choix.

Si votre préférence est l'extraversion

Pour puiser leur énergie, les personnes extraverties ont tendance à diriger leur attention sur le monde extérieur, sur les personnes et les choses. Elles préfèrent communiquer par la parole plutôt que par l'écriture. Elles ont besoin d'exprimer tout haut leurs idées afin d'en valider le sens. Elles sont portées vers l'action et l'expérience.

Dans une équipe de travail, les personnes extraverties sont plus volubiles. Elles apportent enthousiasme et énergie. Lorsqu'elles expriment une idée qui semble plaire aux autres, elles s'empressent de la mettre à l'épreuve. Elles peuvent agir souvent rapidement, parfois même sans réfléchir. Elles accueillent favorablement les interruptions parce que ces dernières sont stimulées par la présence des autres. Elles ont besoin également de variété dans leur travail.

Si votre préférence est l'introversion

Les personnes introverties dirigent leur attention vers leur monde intérieur. Elles préfèrent investir leur énergie à se concentrer et à réfléchir seules d'abord avant d'entrer en action. Elles sont stimulées par la réflexion et le retour sur soi.

Dans une équipe de travail, les personnes introverties ont besoin de calme pour se concentrer. Elles détestent se faire déranger par de fréquentes interruptions ou par des demandes répétées. Elles font évoluer leurs idées en réfléchissant et soutiennent l'équipe en partageant des stratégies basées sur l'approfondissement de leurs idées et des informations recueillies.

Ces personnes ont besoin de recul pour se sentir à l'aise avec une décision importante. Les personnes introverties pendant les réunions émettent des conclusions une fois qu'elles y ont mûrement réfléchi.

Les 4 échelles mesurées par le MBTI (suite)

Où prêtez-vous attention ? Sensation-Intuition

Consigne : Cochez à gauche une réponse par ligne parmi les neuf choix proposés.

Sensation Je recueille les informations avec les cinq sens : la vue, l'ouïe, l'odorat, le toucher et le goût.	**Intuition** Je recueille l'information à l'aide de mon sixième sens : l'intuition.
J'aime les choses définies et mesurables.	J'apprécie les occasions d'être créatif.
Je commence les choses au début et franchis une étape à la fois.	Je procède de façon désordonnée, je saute des étapes.
Je vis au présent et profite de ce qui est mis en place.	Je prévois l'avenir, et je me tourne vers l'avenir.
Je préfère commencer par les données concrètes (faits, détails, exemples).	Je préfère commencer par le contexte général et les questions de fond.
J'apprends mieux lorsqu'on me permet de faire des applications pratiques de mes apprentissages.	Je suis à l'aise avec les concepts théoriques et abstraits.
Pour comprendre les choses, j'aime faire référence à des exemples précis.	Pour comprendre les choses, j'ai besoin du cadre général.
J'aime suivre l'ordre du jour d'une réunion.	J'ai tendance à utiliser l'ordre du jour uniquement comme point de départ.
J'aime utiliser mon expérience et les méthodes connues pour résoudre les problèmes.	J'aime résoudre des problèmes nouveaux et complexes.

Faites le total. Votre préférence est le score le plus élevé sur un total de neuf choix.

Si votre préférence est la sensation

Les personnes qui préfèrent la sensation ont tendance à accepter la situation actuelle et à travailler avec ce qui est a été établi. Par conséquent, elles sont réalistes et pratiques. Dans la réalisation de projets, elles offrent un apport précieux à l'équipe ; en effet, elles peuvent assurer la concrétisation des étapes dans leurs moindres détails. Elles sont en mesure de déceler les informations manquantes ou de préciser les éléments de logistique.

Pour résoudre un problème d'équipe, elles sont portées à seulement tenir compte des données dont elles disposent. Parfois, elles possèdent une vision trop restreinte ou immédiate et évitent de considérer les répercussions futures de leurs décisions.

Si votre préférence est l'intuition

Les personnes intuitives aiment mettre en relation les données dont elles disposent avec d'autres possibilités, contextes ou modèles théoriques. La personne du type « intuition » préfère regarder l'ensemble et essaie de trouver diverses possibilités. Elle utilise son imagination et son intuition pour s'inspirer.

Dans la résolution de problèmes, les intuitifs risquent de trop généraliser et de perdre de vue le problème initial. Parfois, ils risquent même de rendre la situation plus complexe. Par contre, les intuitifs apportent une aide précieuse pour les personnes du type « sensation » : ils peuvent les aider à envisager des solutions qui tiennent davantage compte des besoins futurs.

Les 4 échelles mesurées par le MBTI (suite)

Comment prenez-vous vos décisions ? Pensée-Sentiment

Consigne : Cochez à gauche une réponse par ligne parmi les neuf choix proposés.

Pensée Je décide avec la tête.	**Sentiment** Je décide avec le cœur.
Je fais appel à la logique pour décider.	Je fais appel à mes sentiments et à mes convictions personnelles pour décider.
Je préfère voir les choses de l'extérieur et avoir un point de vue objectif.	J'adopte l'attitude d'un participant et je vois les choses d'un point de vue personnel.
J'aime la justice et l'équité.	J'aime les relations harmonieuses entre les gens et je suis mal à l'aise avec les conflits.
Dans une réunion, je participe aux tâches.	Dans une réunion, je cherche le contact avec les gens.
J'ai plus tendance à trouver les failles et à critiquer ce qui n'a pas bien marché.	J'ai plus tendance à apprécier les bons coups.
Je fais appel à la liste des pour et des contre lorsque je prends des décisions.	J'aime tenir compte des réactions des autres et de l'influence de ma décision sur les gens.
Je présente d'abord les objectifs et les buts.	Je présente d'abord les points qui feront l'objet d'une entente.
Je porte une attention particulière aux principes en jeu dans les situations.	Je prends en considération les valeurs profondes.

Faites le total. Votre préférence est le score le plus élevé sur un total de neuf choix.

Si votre préférence est la pensée

Les personnes de type « pensée » préfèrent faire appel à la logique et au rationnel pour prendre leurs décisions et accomplir leurs tâches.

Elles critiquent parfois et leurs décisions peuvent être perçues comme froides ou impersonnelles.

En réunion, elles donnent plus d'importance aux tâches. Ces personnes sont satisfaites lorsque les objectifs fixés sont atteints. Elles considèrent qu'il est plus important d'être perçu comme juste et équitable que d'être apprécié ou aimé des autres.

Si votre préférence est le sentiment

Les personnes du type « sentiment » accordent plus d'importance aux valeurs et aux convictions personnelles dans leurs prises de décisions. Elles se sentent mal à l'aise dans les situations de conflit. Elles ont tendance à les éviter ou à adopter une attitude favorisant les compromis dans des situations litigieuses. Elles aiment faire plaisir aux gens et rendre de nombreux services, parfois même au détriment de leur situation.

En réunion, les personnes de type « sentiment » s'assurent que tout le monde est à l'aise et que le climat est propice au travail. Elles prennent en considération les réactions des autres et l'impact de leurs décisions sur le plan humain.

Les 4 échelles mesurées par le MBTI (suite)

Quel style de vie adoptez-vous ? Jugement-Perception

Consigne : Cochez à gauche une réponse par ligne parmi les neuf choix proposés.

Jugement Je préfère un style de vie organisé et planifié.	**Perception** Je préfère un style de vie souple et flexible.
J'aime l'ordre et la structure.	J'aime suivre le cours des événements.

J'aime avoir le contrôle sur ma vie.	J'aime vivre ma vie comme ça vient.
J'aime régler les situations et terminer des projets avant d'en commencer un autre.	Je suis à l'aise dans les situations en développement.
Je gère les échéances et je planifie à l'avance.	J'attends à la dernière minute pour respecter les échéances.
J'aime les emplois du temps précis et planifiés sur une courte période.	Je suis prêt à discuter d'un plan, mais je n'aime pas qu'il soit trop strict.
J'aime être prévenu des changements.	J'aime les surprises et les changements de dernière minute.
Je prends rapidement des décisions pour régler les choses une fois pour toutes.	Je retarde les décisions pour chercher de nouvelles possibilités.
Je me sers de listes de choses précises à faire.	Je dresse des listes de choses à faire un jour qui me servent d'aide-mémoire.

Faites le total. Votre préférence est le score le plus élevé sur un total de neuf choix.

Si votre préférence est le jugement

Les personnes du type « jugement » travaillent plus facilement lorsqu'elles peuvent planifier leur travail et suivre leur plan. Elles aiment les choses planifiées, structurées, et exigent beaucoup des autres. Ces personnes sont souvent ordonnées ; chaque chose doit être à sa place. Elles peuvent parfois être perçues comme trop rigides.

Lorsqu'elles travaillent en équipe, ces personnes se concentrent surtout sur la tâche à effectuer et aiment planifier à l'avance les échéances. Elles sont irritées quand leurs collaborateurs ne respectent pas les échéances et les règles de jeu établies. Dans une organisation, elles excellent à maintenir les règles et les procédures.

Si votre préférence est la perception

Les personnes du type « perception » travaillent plus facilement dans un cadre souple et flexible. Elles ont besoin d'espace et de liberté, parce qu'elles aiment explorer des chemins inconnus. Elles sont curieuses et apportent de nouvelles façons de voir les choses. Ces personnes peuvent parfois remettre à plus tard la réalisation de leurs projets sous prétexte qu'il leur manque des informations.

Dans le travail d'équipe, elles se concentrent surtout sur l'évaluation du processus. Elles ne travaillent pas bien dans un cadre rigide ou lorsqu'on restreint leur autonomie. Comme elles sont à l'aise avec les changements, elles s'attendent à ce que les autres aient une réaction aussi positive face aux nouvelles situations.

Les quatre courts questionnaires présentent un bref aperçu des huit préférences de l'indicateur MBTI. Il existe 16 profils différents issus de la combinaison des huit préférences distinctes sur les quatre échelles. C'est à partir des lettres de préférences qu'on obtient un profil. Le profil nous permet d'établir entre autres les caractéristiques suivantes :

- *La dynamique du type.* Le recours aux fonctions dominantes et auxiliaires indiquent la façon privilégiée de résoudre des problèmes et le type de réactions qu'aura la personne lorsqu'elle est en situation de stress.

- *Le tempérament.* Les besoins, les valeurs fondamentales du type et les motivations de base. Le tempérament nous donne des indications sur les réactions susceptibles de se présenter lorsque la personne est en mode « survie » (adaptation à une situation perçue comme menaçante).

- *Le choix professionnel.* Bien que ce dernier soit plus utile en gestion de carrière, les prédispositions de ce type donnent une bonne indication des forces de l'individu selon ses fonctions et ses responsabilités. Dans le contexte d'une équipe, il est possible d'optimiser la répartition des rôles et des responsabilités en tenant compte des préférences naturelles des gens pour certains types de tâches ou de travail.

Le lecteur intéressé à approfondir ses connaissances sur la compréhension des types du MBTI pourra se reporter à la liste d'auteurs présentée à la fin de l'ouvrage. Plusieurs bons livres ont été publiés sur la compréhension des types psychologiques.

Transformez les performances de vos équipes, de Susan Nash

Dans son volume *Turning Team Performance Inside Out : Team Types and Temperament for High-Impact Results*, Susan Nash présente une démarche d'analyse rigoureuse des processus de groupe. Son approche repose sur la compréhension des types psychologiques ainsi que sur l'examen de cinq facteurs clés de réussite d'une équipe performante. Ses postulats de base nous aident à mieux comprendre son approche.

1. Chaque membre de l'équipe a son tempérament, sa personnalité, ses forces et ses faiblesses. Ces informations sont obtenues à l'aide de l'indicateur de types Myers-Briggs.

2. L'observation des réactions et des réponses des membres permet d'analyser les effets de leur comportement sur le rendement de l'équipe.

3. Les équipes performantes savent faire appel à leurs complémentarités. Comprendre les différences sur la façon de traiter l'information et de prendre des décisions permet aux membres de l'équipe de tirer profit de leurs forces et d'améliorer leur rendement.

4. Les différents profils individuels issus du MBTI sont analysés pour en dégager un profil d'équipe.

5. La compréhension du profil d'équipe, combinée au modèle des cinq facteurs clés, permet de diagnostiquer rapidement et de prévoir certaines difficultés au sein des équipes de travail.

La compréhension de la personnalité et du tempérament de l'équipe est faite à partir de l'indicateur de types psychologiques Myers-Briggs (MBTI).

Dans son livre, l'auteure fournit des grilles d'analyse qui permettent de prévoir des difficultés qu'éprouveront certains modèles d'équipes en fonction de leurs types psychologiques et de leur tempérament.

Quant aux facteurs clés d'une équipe performante, ils sont présentés sous l'acronyme anglais SCORE (Strategy, Clear roles and responsibilities, Open communication, Rapid response, Effective leadership).

L'acronyme SCORE est traduit comme suit :

Les 5 facteurs clés d'une équipe performante, selon Susan Nash

1. Établir la **s**tratégie d'équipe.

2. **C**larifier les rôles et les responsabilités.

3. Communiquer de manière **o**uverte.

4. Viser des **r**ésultats rapides.

5. Assumer un leadership **e**fficace.

Établir la stratégie d'équipe

Établir une stratégie d'équipe consiste à clarifier le but et la raison d'être de l'équipe. L'équipe a avantage à clarifier les valeurs qui guideront ses actions et ses décisions. Dans un contexte plus étendu, elle doit connaître les forces et les menaces de son environnement.

Clarifier les rôles et les responsabilités

Établir les rôles et les responsabilités en fonction des forces respectives de chacun constitue un bon départ. Il faut également que les responsabilités soient comprises par l'ensemble des membres de l'équipe. L'équipe doit viser des résultats tangibles et réalistes.

Communiquer de manière ouverte

La communication est un outil indispensable à l'équipe qui souhaite évaluer les différences individuelles de ses membres et explorer ses complémentarités. Elle ne doit comporter aucun jugement. Lorsque l'équipe communique ouvertement, un climat de confiance s'installe, ce qui améliore son efficacité.

Viser des résultats rapides

Ce facteur a pour objectif de créer une synergie au travail qui permet à l'équipe de résoudre rapidement ses problèmes ou ceux de ses clients. Les équipes ont un problème commun : elles ont souvent du mal à réagir suffisamment rapidement devant leurs difficultés. Trop souvent, elles se découragent lorsqu'elles ont le sentiment de tourner en rond. Obtenir rapidement des résultats stimule la motivation d'équipe.

Assumer un leadership efficace

Le leader doit être en mesure d'aider les membres de l'équipe à atteindre leurs objectifs et à participer à la création d'un esprit d'équipe. Le leader doit également faire évoluer les habiletés de tous les membres et aider à développer leur potentiel.

Quatre étapes au soutien des équipes de travail

Dans le processus d'optimisation de la performance de son équipe, l'intervenant, en s'inspirant du modèle de Nash, offre du soutien en analysant le groupe selon les quatre étapes suivantes.

Évaluer le score d'équipe

Évaluer le score d'équipe signifie évaluer les forces et les points à améliorer selon les cinq facteurs clés d'une équipe performante.

Par rapport à la stratégie

- L'équipe possède-t-elle des buts clairs ?
- Est-ce que tous les membres de l'équipe adhèrent aux valeurs ?
- Les résultats visés sont-ils clairs pour tous ?

Par rapport aux rôles et aux responsabilités

- À quel point les membres de l'équipe comprennent-ils et connaissent-ils leurs rôles et leurs responsabilités ?

- Les membres sont-ils tous compétents en fonction de leurs rôles respectifs ?
- Les rôles sont-ils répartis équitablement au sein de l'équipe ?

Par rapport à la communication ouverte

- Les membres communiquent-ils clairement et ouvertement ?
- Sont-ils capables d'exprimer leurs idées et leurs sentiments ?
- Comment s'y prennent-ils pour adapter le style de leurs communications avec les autres ?

Par rapport aux résultats rapides

- Comment l'équipe s'y prend-elle pour analyser et résoudre ses problèmes ?
- Sait-elle faire appel à des possibilités plus créatives dans la résolution de ses problèmes ?
- Dans quelle mesure l'équipe fait-elle un consensus dans sa prise de décision ?

Par rapport au leadership

- Quelle est l'influence du leader officiel dans la performance de l'équipe ?
- Est-ce que le leader de l'équipe stimule et motive l'équipe ?

- Comment le leader de l'équipe s'y prend-il pour donner du feedback à ses membres ?

Établir le profil de chaque membre de l'équipe

Le profil de chaque membre de l'équipe, issu de l'indicateur de types MBTI, permet de comprendre les aspects suivants chez chaque membre de l'équipe :

- Ses valeurs profondes et ses motivations selon son tempérament.

- Sa façon de percevoir son environnement et la démarche qu'il privilégie pour prendre des décisions à partir de ses fonctions dominantes.

- Sa façon de communiquer et d'interagir avec les autres (extraversion ou introversion) ainsi que son style de vie en général (jugement ou perception) selon son type MBTI.

Établir le profil d'équipe

On trouve le profil d'équipe en additionnant tous les profils individuels de chacun des aspects mentionnés précédemment. On évalue ensuite les éléments clés d'une équipe (SCORE) en fonction du profil d'équipe.

À titre d'exemple, chez une équipe qui éprouve des difficultés de communication, on pourrait analyser le mode d'interaction privilégié et le tempérament dominant au sein de l'équipe. Concrètement, si la préférence de l'équipe est l'introversion et qu'elle possède un tempérament du type rationnel, il y a fort à parier que les conflits au sein de cette équipe ne seront pas exprimés ouvertement. Il est également probable que la majorité des membres craindront d'exprimer leur mécontentement ou leur insatisfaction.

Déterminer le plan d'action

L'analyse des difficultés vécues par l'équipe en fonction de ses réactions et de ses comportements (son profil par rapport aux cinq facteurs clés) permet de planifier un plan d'action qui tient compte de ses forces et de ses lacunes. Prendre conscience de son mode de fonctionnement constitue l'étape la plus importante. Elle permettra à l'équipe d'effectuer les changements nécessaires au cours du processus d'optimisation de ses performances.

Conclusion sur le modèle de Nash

En résumé, l'amélioration des performances d'une équipe de travail, selon Nash, repose sur l'analyse des types psychologiques et du tempérament de chaque membre de l'équipe en vue d'une utilisation optimale des forces de chacun. Toutefois, un dernier élément est essentiel : **le respect entre chacun des membres et le respect du leader**. Sans cette condition de base, les équipes ne connaîtront pas de vrais succès.

Par ailleurs, comprendre que les différences individuelles peuvent contribuer à l'enrichissement de l'équipe représente un atout important. Si les membres ont assimilé ces notions, c'est dire qu'ils sont déjà en processus de maturation. Leur progression en témoignera.

Bibliographie

BLANCHARD ET BOWLES. *High Five ! The Magic of Working Together*, Harper Collins, New York, 2001.

BLANCHARD, ZIGARMI, ZIGARMI. *Leadership and the One Minute Manager*, William Morrow and Company Inc., New York.

BRIGGS MYERS, I. et MYERS, P. *Gifts Differing Understanding Personnality Type,* Davies-Black Publishing, California, 1980.

BRIGGS MYERS, I. *Introduction aux types psychologiques*, Psychometrics Canada Ltd, 1988.

CASAS, E. *Les types psycholoqiques jungiens, manuel et guide pour l'indicateur de types psychologiques Myers-Briggs,* Psychometrics Canada Ltd, 1990.

COVEY, S. *Les sept habitudes de ceux qui réalisent tout ce qu'ils entreprennent*, Éditions générales FIRST, Paris, 1996.

DELUNAS, E. *Survival Games Personalities Play,* Sunflower ink, California, 1992.

DOLAN, LAMOUREUX et GOSSELIN. *Psychologie du travail et des organisations*, Gaëtan Morin Éditeur, 1996.

DROLET, M. *Le coaching d'une équipe de travail*, Éditions Transcontinental, Montréal, 1999.

DYER, W. *Team Building Issues and Alternatives,* Addison-Wesley Publishing Company, Massachussets, 1977.

JOHNSON, S. *Qui a piqué mon fromage ? Comment s'adapter au changement au travail, en famille et en amour*, Éditions Michel Lafon, 1998.

KREBS HIRSH, S. et KUMMEROW J. *Introduction aux types psycholoqiques dans l'organisation,* Psychometrics Canada Ltd, 1994.

KROEGER, O. et THUESON, J. *Type Talk, the 16 Personality Types That Determine How We Live, Love and Work*, Dell Publishing, New York, 1988.

LESCARBEAU, PAYETTE et SAINT-ARNAUD. *Profession : consultant.* Les éditions des Presses de l'Université de Montréal, 1990.

MYERS et MYERS. *Les bases de la communication interpersonnelle, une approche théorique et pratique*, Mc-Graw-Hill, Éditeurs, Canada, 1984.

NASH, S. *Turning Team Performance Inside Out Team Types and Temperament for High-Impact Results*, Davies-Black Publishing, Palo Alto California, 1999.

SAINT-ARNAUD, Y. *Les petits groupes, participation et communication*, Les Presses de l'Université de Montréal, Les Éditions du CIM, Montréal, 1978.

SCHOLTES, JOINER et STREIBEL. *Réussir en équipe : Guide pratique d'animation, d'amélioration et de formation*, Actualisation, Montréal, 2000.

WEISINGER, H. *L'intelligence émotionnelle au travail, gérer ses émotions et améliorer ses relations avec les autres*, Éditions Transcontinental, 1998.

Groupe Conseil SCO

Groupe Conseil **SCO** offre des services conseils en gestion des ressources humaines aux grandes organisations et aux PME qui connaissent une croissance rapide ou sont en changement. Cette société, dont l'approche se veut dynamique et créative, œuvre dans les entreprises de services ainsi que dans les secteurs manufacturier et public.

L'équipe de Groupe Conseil **SCO** est formée de professionnels ayant des expériences complémentaires en matière de ressources humaines. Selon les mandats qui lui sont confiés, Groupe Conseil SCO entend répondre de manière la plus efficace aux besoins de ses clients en offrant des services de qualité supérieure à des prix concurrentiels.

Notre approche

Le succès des mandats confiés au Groupe Conseil SCO repose sur un souci constant d'offrir une approche personnalisée faisant appel aux valeurs suivantes :

- **Relation de partenariat** basée sur la confiance, la collaboration et la confidentialité.
- **Réalisation du projet d'entreprise** par l'engagement et la responsabilisation du personnel en place.
- **Rentabilité des interventions** par une assistance continue au client pour maintenir les efforts du personnel après la démarche.
- **Résultats** : solutions percutantes et adaptées aux nouvelles tendances du marché.

Notre vision

Aider les entreprises à se développer tant au plan organisationnel qu'au plan humain. Nous croyons que la croissance d'une entreprise repose sur le bien-être ainsi que sur le savoir-être et le savoir-faire de son personnel. Dans ce contexte, Groupe Conseil SCO se définit comme un partenaire stratégique pour les gestionnaires d'entreprise qui croient que le succès de leur organisation repose sur leur capital humain .

Nos services

1) Gestion des changements et efficacité organisationnelle

- Rôle-conseil dans l'implantation de changements organisationnels tels que fusion d'entreprises, changement technologique et réingénierie des processus.

- Mobilisation des ressources à la suite des changements de structure et de rôles
- Consolidation d'équipes à l'aide de l'indicateur de types Myers Briggs
- Coaching des gestionnaires et soutien aux équipes de travail
- Développement de plans stratégiques de formation en lien avec les objectifs de l'entreprise

Nos services

2) Gestion et développement des compétences humaines

- Conception et mise en place du plan stratégique de formation de l'entreprise comme outil de changement organisationnel (loi 90)

- Conception et rédaction de matériel de formation adaptés aux besoins spécifiques de l'entreprise

    Plans de développement de compétences des gestionnaires

    Divers guides pratiques et manuel d'auto-formation

    Ateliers de formation et outils d'évaluation

- Bilan de compétences et gestion de carrière

Nos clients

Covitec membre d'Astral
Téléglobe
Bell Canada
Banque Nationale du Canada
Banque de développement du Canada
Association des Présidents (YPO)

Costco Canada
Provigo
Réseau des femmes d'affaires du Québec
Pratt & Whitney Canada
Shell Canada
General Motors
Compagnie minière Québec-Cartier
Expertise informatique EIC
Lafarge
Transport Canada

Ghislaine Labelle – Responsable des services-conseil

Membre de l'Ordre des psychologues du Québec, Ghislaine Labelle offre des services conseils en développement organisationnel, coaching et formation auprès de la grande et moyenne entreprise. Au cours des onze dernières années, Ghislaine a développé une expertise dans la gestion des changements et la consolidation des équipes de travail. Elle offre un encadrement et du soutien aux organisations qui ont à introduire des changements organisationnels majeurs.

Sa capacité d'analyse lui permet de développer rapidement une vision d'ensemble des processus humains et organisationnels. Elle excelle dans les situations où elle doit faire preuve de créativité et de souplesse et s'adapte facilement aux imprévus. Elle stimule chez ses clients le goût de prendre part au changement et d'en tirer le meilleur parti de la situation.

Pour plus de détails,
n'hésitez pas à communiquer
avec l'auteure de cet ouvrage :
Téléphone : (514) 990-2264
Courriel : glabelle@istar.ca

Transcontinental
IMPRESSION
IMPRIMERIE GAGNÉ

IMPRIMÉ AU CANADA